大人のための勉強法

和田秀樹
Wada Hideki

PHP新書

大人のための勉強法

目次

プロローグ

大人が勉強する時代

第1章　IT時代に求められる能力

第2章　頭をよくするトレーニング

第3章 能率を上げる勉強術

第4章　ライセンス取得のテクニック

エピローグ　**学びの社会の再建を**

章扉写真――毎日新聞社
共同通信社
ロイター通信社

プロローグ

大人が勉強する時代

競争社会の到来。東京・飯田橋のハローワークには毎日多くの人が職探しに訪れる。

これまでのライフサイクル・モデルは通用しない

二十一世紀を迎えるにあたって、何が変わったかといえば、これまでのライフサイクルのモデルが通用しなくなったことだろう。

子どもの頃に一生懸命勉強して、一流大学に入ってしまえば、大学に入ってからは遊んでいても卒業できるし、一流企業の就職試験をクリアしてしまえば、六十歳までは少なくとも食べるのには苦労しない。その後は、厚生年金と企業年金で、悠々自適の老後を送れる。

このどれをも、誰も信じない時代になったことだけは確かなことだ。

少子化と受験戦争批判のおかげで、かつてと比べると一流大学と呼ばれる大学に入るのは楽になったが、おかげで大学生の学力低下は深刻な問題となった。大学側も、自分たちの危機意識と社会の側からの要請もあって、かつてのような「遊んでいても卒業」をどんどん許さなくなっていく。

それよりも深刻な問題が、一流大学を出て、一流企業に就職しても、一生が保証されないことだ。精神科医である私のもとに相談に来た四十代の一流大学卒のエリート銀行員は、大学の同級生の一人が勤める銀行が倒産して失業したのを聞いて、自分がうつになってしまった。曰く、「X大学を出て、出世競争に敗れる心配をしたことはあったけど、これまで失業の心配をしたことがなかった」。もはや、一流大学を出ても、地位はおろか、食べることすら保証されなくなってしまった。

さらに、そうしてどうにか定年までクビにならないで、会社の中で生き延びたとしても、年金財政の破綻は不可避なものとされ、老後の保障もあやふやなものとなってしまった。また、収入の問題もさることながら、長寿化のために定年後、二十年は生きることになる。その間、食べて寝るだけでなく、何をなすべきかも重要な課題となってきた。

かつてのライフサイクルのモデルが通用しなくなったと聞くと暗くなるばかりかもしれないが、実は意外に簡単な解決法がある。それは「勉強」することである。能力主義の競争社会だからこそ、人生八十年の長寿社会だからこそ、「勉強」は一生必要なのである。逆に大人になってからでも、「勉強」をする能力やテクニックを身につければ、競争社会で生き延びる可能性も高まるし、歳をとってからも知的で、若々しく、しかも人生を楽しめる可能性だって高まるのだ。

よくよく考えてみれば、人生の最初の二十年ほど勉強して、その時の蓄積と、その後の経験知だけで、一生暮らしていけるというのは、テクノロジーが今ほど日進月歩でなくて経験がそれなりにあてになる時代や、人生がそれほど長くなくて、老後をながらえても浦島太郎にならなくて済んだ時代だから通用したものである。

本書では、これからの時代、勉強することには、単に実利的な目的以外にどんな意義があるのかということ（勉強の目的）を、最近の精神医学や知能研究の見地から説明した上で、勉強することで何を得るのか（勉強における獲得目標）について、認知心理学の立場から検討し、さらに私のもう一つの顔である受験技術研究家としての経験と実績から、大人のための勉強の技術を伝授していきたい。

高度情報社会、能力主義社会での勉強のメリット

私自身は、勉強は楽しいほうが、長続きもするし、後述するように能率もよくなるので、究極的には勉強を楽しいものにする必要はあると思っている。しかしながら、勉強というのは、一般にとっつき始めや、理解が難しい時期、あるいは伸びが悪い時期は、けっして楽しいものではなく、むしろ苦痛なことが多いだろう。

勉強をするにあたって意外に大事な要素は動機である。昨今、子どもや大学生の学力低下や勉強時間の減少が問題にされているが、この背景には、勉強に対する動機の低下という単純な問題があると私は考えている。マスコミも文部省も、一丸となって「勉強ばかりしていると人間性が歪む」という意味のキャンペーンを続けている。勉強ができても、ルックスのいい人やスポーツや音楽ができる人ほどは異性にもてず、その上に、将来の地位や収入も保証されない

というのであれば、何を動機に勉強すればいいのかは、精神科医でなくても疑問に感じるところだ。そして、貧しさを知らない今の子どもたちは、昔の子どもたちのように、勉強しなければ生き延びていけないというほどの強迫観念も持ち合わせていない。

動機がなければ、勉強をする気になれないし、持続できないというのは、子どもに限ったことではないだろう。ここからしばらくは、まず勉強をする気になれたり、勉強への意欲が増すように、勉強のメリットをいくつか紹介してみることにしよう。

たとえば、競争社会、能力主義社会が到来したからといって、勉強すればそれに対処できるのか、それとも、生まれついての素質や才能、あるいは性格や対人関係能力が優れていないと生き延びていけないのかという疑問もわくだろう。

確かに、企業における能力というのは、営業成績であったり、事務処理能力であったり、開発能力であったり、さまざまな観点から測られるものである。発想力や、創造性などというものは、小さい頃からの教育や生まれついての素質に規定される要素も強いのかもしれない。また営業能力のようなものは、実行力や経験則のほうが有効で、「勉強するより現場に出ろ」という種類のものなのかもしれない。

勉強が確実に役に立ちそうなものとしては、語学力、特に英語の読み書きの能力がある。これまでも国際化についてはあれこれといわれてきたが、ネット時代には英語を制するものが情報を制するといっても過言ではない。

会話の能力については、小さい頃からの英語への接し方や、いわゆる「耳」の問題はありそうである。私自身、アメリカに三年間も留学しながら、発音は最悪だし、聞き取りも苦手だ。しかし、インターネットによるコミュニケーションやネット取引がスタンダードになりつつある中、外国人とじかに会っての商談は減るだろうし、国際電話もあまり用いられなくなる可能性が大きい。

読み書きであれば、勉強すれば何とかなるという実感は、多くの人が持っているであろう。英語の読み書きを伸ばす方法については後述するが、この手の勉強は、今後、ますます必要性を増してくる。

また、勉強することで、いろいろな知識を身につけることができる。頭の回転の早い人間になるというと、やはりこれまでの教育経験や生まれついての素質によるというイメージが強いだろうが、勉強すれば知識の多い人間にはなれそうだという感覚は、多くの人に共通するものであろう。

現に受験の世界では、文系の大学の多くが、数学と、歴史などの社会科を選択科目にしているが、受験生の大半は、社会科のほうを選択している。これは、数学は才能に規定されそうなので、やってもできるようになる気がしないが、社会科なら暗記で何とかなる、努力さえすれば、「頭の悪い」私でも受かりそうだという感覚が広まっているからだろう。実際、当意即妙な人間はそうたくさんいるわけではないが、自分の知らないことを知っている人の話は、何となく聞いてしまうし、頭がいいかどうかは別として知的な人間、仕事のできそうな人間という印象を与える。人間関係を作るにしても、知識がたくさんあるに越したことはない。

また、ネット社会になって、直接の対面型のコミュニケーションや取引が減ってくると、多少は考える時間が作れる。いわゆる、その場で答えを出す「頭のキレ」が必要でなくなる。そういう際には、考える材料となる情報や知識をたくさんもっているほうが有利になるだろう。

いろいろな意味で、勉強をする人間が有利な時代は来ているし、小さい頃からのハンディが勉強で克服できる時代が来ている。たとえば、帰国子女や頭のきれる人間に対するハンディは昔と比べると小さくなっているのだ。逆に能力主義の時代には、勉強をしていない、知識がない、英語が使えない人間は、学歴のいかんにかかわらず、真っ先に切り捨てられる可能性が大きくなっている。

インターネット時代に知識は不用か？

ここまでの話を聞いて、先の読める人の中には納得できない人もいるかもしれない。

英語の読み書きの能力といっても、もう数年たてば、英語の翻訳ソフトが十分実用に耐えるようになるはずだという反論もあるだろう。知識が多いに越したことがないといっても、インターネットでいくらでも情報を引くことができるのだから、自分で覚える必要はなくなる、むしろ余計な知識などもっていれば邪魔だと考える人もいるだろう。

ここが大きな落とし穴なのだ。みんなが英語をしゃべれない時代、たとえば戦後の混乱期には、アメリカ兵の二号さんや米軍キャンプの使い走りをして、片言でも話せるようになれば、「通訳」として通用した。教養や知性よりも、英語を多少でも知っていることのほうがはるかに価値があったわけだ。しかし自動翻訳のソフトができれば、英語を日本語に直し、日本語を英語に直す「翻訳」能力は英語力ではなくなる。むしろ、もとの日本語が説得力や論理性、あるいは教養を感じさせるものでないと、相手に優れた人間と感じさせることができなくなる。そして相手のことも、それだけ勉強をする必要が出てくるのだ。

私も留学中に思い知らされたが、アメリカ人は知的な人間には、かなりの敬意を払うが、そうでないと判断すると相手にすらしない。これまでは、たまたま日本人全体が語学音痴であったおかげで、語学のハンディということでごまかしが利いていたものが、誰もが翻訳ソフトを使うようになると、知的レベルの高さが如実に問われることになる。つまり、普段から英文に接しておいたり、アメリカの教養人が読むようなものに目を通しておかないと、知的センスを低くみられる可能性が余計に強くなったのだ。

情報がインターネットで引けるようになったことについても同様なことがいえる。情報がたくさん入手可能になるほど、その分野についての概括的な知識や理解が必要になる。私だって、精神医学領域、特に精神分析については、たとえば、論文のタイトルや抄録を読んで何がいいたいか大体わかるし、どの分野について検索すればいいかの道筋も大体立つ。でも、これがイスラムの文化史についてのレポートを書けという課題であれば、いくら情報がたくさん入手可能であっても、どの説が本当で、どの説がまゆつばかの区別もつかない。全部の情報に一通り目を通さないといけないので、膨大な時間がかかってしまうだろう。

司法試験の論述試験では、六法全書は持ち込み可となっている。細かい知識より法体系の理解のほうを重視し、情報の利用能力を問うというスタンスは、かなり現代的といってもよい。ついでにいうと、慶応義塾大学の文学部のように、英語の入試に辞書を持ち込み可とするところも出てきた。情報がインターネットでいくらでも引けるから勉強しなくて大丈夫などとたかをくくっているような人こそ、情報がもっとも使えない人なのかもしれない。

できる人から学ぶ姿勢を

知識がいくらでもアウトソーシングできたり、ことばの翻訳や計算のようなテクニカルな問題はツールがクリアしてくれる時代になると、情報処理能力や問題解決能力や背景情報の理解が重要になってくることに加えて、わからないことを聞くとか、どこに聞きにいけばいいかを知っているという、情報処理のための情報収集能力のようなものが重視されることになる。

　これからの時代に必要な能力やこれからの時代における「頭のよさ」とは何かについては、第1章で詳しく検討するとして、ここで一つ強調しておきたいのは、「できる」人から学ぶ姿勢である。

　独創性が強調されるあまり、人のまねをするとか、人から学ぶというやり方では、これからの時代に通用しないという議論が少なくない。日本人は、まねがうまいが独創性がないので、現状のようなていたらくに陥ったという論調は日常茶飯にお目にかかる。

　余談になるが、二十一世紀の初頭には、日本がこの能力特性を使って、反攻に転じる可能性は小さくないというふうに私は予想している。これまでは基本ソフトであるOSを握るマイクロソフトと、ハードのかなめであるCPUを握るインテルの独壇場であった。実際は、彼らとてオリジナリティで勝ち上がってきたわけではない。マッキントッシュのようなオリジナルなものに十分対抗できる後発商品の改良がうまくいって、競争に勝ち残ったという要素のほうが大きい。つまり、日本型の勝ち組といえるものだ。しかし、パソコンが一通り行き渡ると、操作が簡単（テレビやビデオあるいはゲーム機のような家電感覚）で、小型軽量の情報端末（おそらくは携帯電話）が、パソコンにとって代わる可能性が高い。こういう改良型の商品の開発能力では日本は強い。ウィンドウズやペンティアムの助けを借りなくても、次世代情報端末を日本が握る可能性はけっして小さくはない。

話がそれてしまったが、私がいいたいのは、独創性はないが（この手の議論では何をもって独創性というかの議論もしばしばあいまいであるが）、できる人から学び、できる人に追いつけ、追いこせが得意というのが、日本人の能力特性なのだとしたら（これは遺伝子というより、これまでの教育システムに負うところが大きいと思われる）、それを活かさない手はないということである。少なくとも、そのほうが独創性を身につけろという宿題よりは簡単なのは確かなことだ。

情報が氾濫している今だからこそ、自分に情報の選択能力がない分野では、まずできる人からわかりやすく話を聞くことが、今後入ってくる情報を有用に活かす能力を身につけることに直結する。テクノロジーが発達し、昨日まで使えていた技術がいつ時代遅れになるのかわからない現代だから、苦労をして時間をかけて新しい技術を身につけるより、できる奴から早めに教わったほうが賢い。

私自身が、東大に現役合格をしたのも、その後、さまざまな分野でそこそこの活躍をしていられるのも、できる人から学んだり、できる奴のノウハウを盗んだりしたことに負う部分が大きい。たとえば、受験生の間で大流行になり、また多くの受験生を救った金言である「数学は暗記だ」というコンセプトも私の独創ではない。すでに灘高の教師の中に、そう断言する人がいた。私が数学が急にできるようになったのも同級生の技術を盗んだからだ。勉強しないで、勉強ができるはずはない、何かノウハウがあるはずだと直感した高校生時代の私が、できる奴を観察し、そしてそこからテクニックを盗み、それを自分が体験してみることで検証していったのである。

できる人のノウハウをどうモノにするか

私の場合、受験生時代は灘高という受験勉強の「できる奴」に囲まれており、そこから学ぶことも、その技術を盗むことも比較的容易にできる環境にいたから、受験勉強が非常に有利に運んだのは確かなことだ。精神分析の勉強にしても、アメリカにおける精神分析のメッカとされるメニンガー・クリニックに留学し、しかもその理論をわかりやすく教えてくれるメニンガー精神医学校のシステマティックなコースを受講できたから、理解がはるかに進み、それ以降の勉強も飛躍的にやりやすくなった。

しかし、そのようなできる人が周りにいないというケースはけっして珍しくない。だからといって、手をこまねいていても何も生まれてきはしない。三つだけ私からアドバイスをしておこう。

一つ目は、お金や時間を惜しまず、「できる」人間、あるいは「できる」人間のテクニックに近づくことだ。これは凄いとか、こういうふうになりたいというモデルがいれば、その人の著書やセミナーに自分から近づくことだ。私自身も経験していることだが、著書というのは、何とか売りたいと思うことや、自分をよくみせたいと思うこともあって、意外に正直に自分のもっているノウハウをさらけ出してしまうものだ。成功者の著書など、自分とは無縁だと決めてかからずに、多少なりとあやかりたいところがあれば、それを買って読んでみる価値はある。本一冊一〇〇〇円から二〇〇〇円という金額は、いくら不景気とはいえおそろしく安い投資である。

評判のいいセミナーを聞きにいくという手もある。受験生の間では、有名講師の古文や数学や物理の講義を聞いてわかるようになってから、苦手と思っていた科目が飛躍的に伸びたなどという話はざらにある。こういうことは、他の世界にも必ずあるはずだ。たとえば司法試験の世界でも、私が非常に注目しているセミナーがある。ちょっとみただけでもカリキュラムはおそろしくよくできているし、理解させるテクニックもすばらしい。おそらく、パソコンの世界でも、起業家の世界でも、「これは目から鱗が落ちる」というセミナーは存在するはずだ。

二つ目は、できる奴のいうことと自分の力を信じることだ。しょせん、この人と私とは頭の構造が違うなどと考えているようでは、いかなる能力も身につけることはできない。私の受験勉強法にしても、実践してみることで信じられないほど成績が伸びて、偏差値四〇から早稲田に入ったという人もいるし、端《はな》から諦めて「どうせ東大理IIIに現役で合格した人の話なんか信じられない」という人もいる。もちろん、全員が和田式の受験勉強をして成功するとは限らないが、少なくとも勉強のやり方を変えることで、多少のメリットはあるはずだ。

できる人のノウハウを信じてまねしたところで、ほとんどの場合は失うものはない。せいぜい受講料か、著書の代金程度の金銭的な損失くらいだろう（もちろん、いかがわしいカルト的セミナーもあるから、それに通って本当に成功している人がたくさんいるかどうかを確認しておいたほうがよいが）。成功すれば、さらにめっけものということになる。これほど効率がよく、リスクの少ない投資は珍しいのだから、相手を素直に信じることだ。そして、自分もいいやり方をすればできると自分を信じることだ。

三つ目は、せっかく身につけたノウハウを自分で試してみることだ。やらなきゃできるようにならないのは当たり前で、和田式勉強法の本を何十冊も買って読んでいながら、肝心の勉強はろくにしないので、成績が伸びないという笑い話のような話も往々にして耳にする。もう一ついえるのは、いくらいいやり方であったとしても、相性があるということだ。和田式の暗記数学にしても、それで飛躍的に成績が伸びたという人もいる反面、いつまでたってもできるようにならないという人がいることも現実である（もちろん、最近の著書ではそれに対する克服法も明示しているが）。要するに自分の能力の優劣とは関係なしに、そのノウハウとの相性があるのも確かなようだ。そして、これは試してみないとわからない。

当たり前のことばかりのようだが、この三つのアドバイスを真剣に聞いてもらえれば、自分のすぐ近くにできる人がいなくても、できる人のノウハウやできる人の理解のパターンを学べるということが理解いただけるであろう。

ライセンス取得は最大の自衛策

ここまで読み進めてもらって、多少は「やればできそうだ」という感覚になっていただけただろうか？

もしそうだとしたら、ここで再び動機付けの話に戻りたい。

能力主義、競争社会の到来とともに注目されているものに、資格試験というものがある。企業がいつリストラをするかわからない時代にあっては、手に職をつけること、ライセンスをもっていることが最大の自衛策といえる。

昔はライセンス・ホルダーといえば、弁護士や医者のように、ちょっと手の届かない、少なくとも大人になってから目指すにはちょっと無理といったものが連想されただろう。しかし、最近では社会の要請のためか、いろいろなものに資格試験のハードルが用意されている。

たとえば、高齢社会になり、さらに介護保険の施行により確実にニーズが増すとされるヘルパーにしても、介護福祉士という資格が設けられ、それに合格すれば、就職口を得るのがはるかに有利になるシステムができている。肉体労働が無理という人や、企業をリストラされて、これからは安定した介護ビジネスにつきたいというホワイトカラーの人にうってつけの職業に、ケアマネージャー（介護支援専門員）という介護プランを立てる職種も出現したが、この資格試験には、ものすごい数の受験者が殺到したようだ。

おそらくは、これからの時代、何かにつけて資格の有無が問題にされるだろうから、その試験勉強をすることの意味はいやがおうでも高まってくるだろう。ライセンスが身を助くというのは、取りも直さず、勉強が身を助けるということだ。そういう点でも、勉強をする大人に有利な時代は始まっているのである。

資格試験について、もう一ついっておきたいのは、ライセンスが一生ものではないということだ。もちろん、医者や弁護士のように一生もののライセンスもないわけではないが、医者にしても、すでに保険医の定年制が真剣に検討されている。

それ以上に問題なのは、時代のニーズに応じて、需要が多く、雇ってもらえる、つまり使える資格と、そうでない資格の入れ替わりが激しくなることが予想されることだ。

たとえば、かつては憧れの資格だったものに教員免状というものがある。もちろんすでに教師として雇われている人にはこの免状の意味は大きいが、新規採用を希望するのであれば、絶望的な免状の一つである。女性の結婚退職の激減と少子化による需要の減少のせいで、教員の新規採用はほとんどないのが現実なのである。

今人気のある資格も同じような運命をたどる可能性があるものは少なくない。医者の資格にしても、年間八〇〇〇人もが新しく取得する事態が続き、医療費抑制政策が本格化すると、いつ資格が無用の長物となり、能力による淘汰《とうた》の時代に入るかはわからないのだ。

そこで、資格試験を受けるに際しては二つの基本的なスタンスが必要となる。一つは、将来、少なくともこの先二十年くらいはニーズがありそうだというものを選ぶことだ。そういう点では、介護やカウンセリングがらみのものは、これからニーズが増していくことが予想される。

もう一つは、資格試験を受験するという体験自体から学ぼうとするスタンスだ。教員や医師の免状のように大学を卒業してすぐに取得する資格は、学生時代に資格試験の受験勉強をするので、その経験が大人になってから活かされるとは限らない。ところが、大人になってから、社会人になってから、試験を受けて資格を得た人の場合、この受験勉強という体験が将来に向かって効いてくる。要するに、また別の資格試験を受けることがおっくうでなくなるのだ。実際、試験を受けて介護福祉士になった主婦が、それをはずみにケアマネージャーにもチャレンジして合格したなどという話はざらに聞く。また、一時期宅建の資格がブームになったが、バブルがはじけて、今ではあまり役に立たなくなったこの資格も、受験体験という意味では役に立つようで、かなりの数がケアマネージャーの試験に流れたとも聞いた。要するに、一つの資格にしがみつくのでなく、受験体験を通じて、その時代にマッチした次の試験を受けるというスタンスが大切だし、それは大人になってからの受験体験によって意外に身につくものなのだ。

大学院教育のニーズの高まり

大人になってからのライセンス取得の他に、もう一つの勉強の方向性として、大学院進学というものがある。

一般的に文明化や産業の高度化が進むと、高等教育のニーズは高まってくる。第一次産業が主流の時代には、義務教育レベルで十分であったのが、第二次産業が主流の時代には、「高校くらいは出ておかないと」というふうになるし、ホワイトカラーが主流になってくると「大学は出ておかないと」というふうになるのは、時代の必然といえる。今後社会の高度情報化がいっそう進むと大学院卒業者のニーズは当然高まっていくだろう。

現実にアメリカでは、エグゼクティブになるためには、ＭＢＡをもっていないといけないだとか、弁護士になるためにはロースクールを出ていないといけないというふうに、アッパーミドルを目指すのであれば、大学院レベルの教育を受けるのが当たり前になっている。大学進学率の高さと比較すると、日本における大学院の進学率の低さは明らかにアンバランスである。しかしながら、現実には長引く不景気と老後の不安のため、日本の親たちに、子どもを大学院にやる余裕がある人はそう多くないだろう。また学歴が、これほど将来を保証しなくなった今では、それだけの投資効果があるのかという疑問をもつ親がいてもおかしくない。

このギャップを埋めるのに必要なのは、社会に出てからお金を貯めて、自分の力で大学院レベルの教育を受けるという発想だ。これは、アメリカではきわめて当たり前に行われていることである。私自身も留学中、向こうの精神科のレジデント（日本でいうなら研修医）と机を並べて講義を受け、ディスカッションをしていたのだが、私のクラスについていうと、半分以上は社会人を経験した後、アメリカのメディカルスクール（アメリカでは原則的に大学を卒業した後、医学専門の大学院にあたるメディカルスクールを卒業してレジデントになる）に入ったという人たちだった。実際、アメリカのメディカルスクールは授業料が大変高く、医者になってから膨大なローンを返すか、メディカルスクールに入る前に相当な貯金をするか、あるいはその両方の手段を使うかしか、医者になる道はない。もちろん、入学試験はけっして簡単ではないが、がんばってお金を貯めれば、かなりの年齢になってからでも医者になれるという特性もあるのだ。

おそらくは、アメリカで社会人になってから大学院に入り直すということが簡単にできる背景には、日本のように年功序列や終身雇用の雇用慣習が一般的でなく、雇用システムが流動的であるということがあるだろう。大学を出てからずっと同じ会社で働いている人より、MBAをもっている中途入社組のほうが優遇されるのなら、会社勤めをしているうちに、自分をブラッシュアップしようという人が珍しくないのは当たり前のことだ。

日本の雇用システムが大変革期を迎え、一気にアメリカナイズされようとしていることが、学歴のシステムにも大きな影響を与えるだろう。IT（information technology）や国際金融の世界における、アメリカのエグゼクティブに負けない高等教育（つまり大学院レベルの教育）のニーズの高まりと、雇用市場の自由化の流れの中で、今の会社を辞めて大学院に入り直してから再就職、という人が次々と出現するのは時代の必然となってきたようだ。実際、慶応大学などいくつかの大学で大学院レベルのビジネススクールが始まっている。

会社を辞めてまで大学院に行くのは心理的抵抗が大きいとか、生活費と大学院の授業料を両方貯めるのは大変という状況下で、日本的な折衷案として、夜間の大学院も次々と設立されているようだ。仕事を続けながら教育を受けることができて、大学院修了の際には、今の会社に残るのか、別会社に就職するのか選択できるのであれば、これはきわめて現実的な道といえる。大学側もこれを当て込んでのことだろうが、大学院は都心に作る傾向が強いようだ。中央大学のようにいったん郊外にキャンパスを移した大学が、大学院は都心に戻すという方向性を打ち出しているケースもある。

大人になってからの勉強のやり直しというのは、大学院レベルの高等教育だけではない。高校卒・短大卒の主婦が、子どもの手が離れた後、自分の興味を満たすため、新たな就職や可能性を求めて、大学に入り直すというケースも増えてきた。あるいは、有利な就職とライセンスを求めて看護系の大学に入る主婦も少なくない。

私自身、精神科医をやっていることと、高齢者問題に携わっていることと、さらに受験技術研究家として勉強法の通信教育を主宰していることが重なって、大学や大学院の再受験を希望する社会人や主婦の相談を受けることが少なくないが、最近、とみにその傾向が増してきているという印象を受けている。

原則的に社会人入試のシステムは、科目数など一般の受験とは違う点も多いが、少なくとも大人が大学受験、大学院受験をすることはけっして珍しくないし、その後の人生にとってメリットのないことではなくなったことだけは確かなようだ。

知的機能の老化予防としての勉強

大人の勉強のもう一つの意味は、長寿・高齢社会の出現である。人生八十年時代には、もはや最初の二十年程度の勉強でこと足れりとはいえなくなった。

確かに社会に出ること、テレビをみること、読書をすることなど、一つ一つが勉強なのだろうが、系統的な知識の吸収や新しいテクノロジーの理解などという意味での教育を六十年も受けないでいれば、頭が老け込んでいくのも当然であろう。

私のみるところ、勉強、特に中高年を過ぎてからの勉強は、きわめて有効な脳の健康法である。

一つには、脳の老化予防としての側面である。頭を使っているとぼけないというのは、医学的にみて正しいともいえるし、正しくないともいえる。というのは、神経細胞の変性によって生じるアルツハイマー型痴呆は、脳を使っていても残念ながら起こる。レーガン大統領がかかったことからも明らかなことだろう。また、脳血管障害についても、脳を使うことによる予防効果は特にないだろう。つまり、痴呆という脳の病気については、頭を使うことによる予防効果は期待できそうもない。

しかし、異常な老化である痴呆症は六十五歳以上の高齢者のわずか六％にすぎないという現実もある。ところが、もうろくしたりぼけたようになっている人の割合はそれよりはるかに高そうにみえる。

私がみるところ、こういう異常でない老化、すなわち正常な老化では、使っていると実用機能は保たれるが、使っていないと脳に限らずその能力が著しく衰えるようだ。たとえば、若いうちであれば、大病したり事故にあったりして、一、二カ月寝たきりの生活をするはめになっても、病気やケガが回復すればすぐに歩けるようになる。ところが、高齢者の場合だとインフルエンザをこじらせて一カ月ほど寝ているだけで、脚の筋肉がすっかり落ちてしまって、歩けなくなることはざらにある。

脳についても同じことがいえるだろう。高齢になって、本を読まなくなったり、人との会話が少なくなったりすると、簡単にぼけたようになるのである。寝たきりになってほとんどしゃべらなくなり、きっとぼけてしまったのだろうと思われていたお年寄りでも、亡くなってから解剖してみると、脳には痴呆性の変化がほとんどなかったということは珍しくない。

もちろん、うつ病などの心の病気によってぼけたようになることもあるのだが、それ以外の場合、脳を使うこと、勉強することで、痴呆症でもないのにぼけたようになることの予防には十分なり得るわけだ。

これは、早くから始めるに越したことがないようである。アメリカの研究では、痴呆のない人についていうと、もとの教育レベルや知的レベルが高い人は、高齢になってもほとんど知的機能が落ちないが、それらが低い人は加齢による知的機能の低下が著しいという。若いうちの、あるいは大人になってからの勉強は、高齢になってからの明晰な頭脳をかなりの確率で保証してくれるのだ。

実際、最近の脳の研究で、脳は一生涯にわたって発達を続けることがわかってきた。生まれた時から、分裂や新生をしないで、一生減りつづけると考えられていた神経細胞（ニューロン）が実はたえず新たに生み出されているという結果が、最近のプリンストン大学の研究チームによって、アカゲザルの脳を使って確認された。これはもちろん、人間でも同じことが起きていることを意味する。

また、分子生物学的な研究では、脳のニューロンはたえず分子レベルでは変性を続けている し、新たなシナプスをたえず作りつづけて、常に脳のネットワークは変化していると考えられるようになってきた。

脳を使うことがこれらの変化やニューロンの新生にどれだけの影響を及ぼすのかはまだ解明されていないが、ラットを用いた実験では、ストレスが少なく、適度な刺激がある環境がニューロンの新生に適する条件だという仮説が提示されている。これに、若い頃からあるいは歳をとっても頭を使っている人のほうが、高齢になっても知的機能が保たれるという観察や調査結果を照らし合わせてみると、脳を使っていれば、一生、脳は発達を続けるというのは、あながち強引な仮説とはいえないようだ。

感情の老化も勉強で予防できる

脳の老化予防のパラダイムにおいて、知的機能に加えて、もう一つ重要なのは、感情の老化予防という側面である。

加齢による知的機能の低下は一般に考えられているほどひどいものではない。知能テストなどを行ってみると、こちらの予想に反してよくできるお年寄りは珍しくない。実際の統計調査では、痴呆がない高齢者の言語性知能（ことばの理解や表出能力）や結晶性知能（言語や社会的知識など学習経験の影響を相対的に受けやすいとされている知能）と呼ばれる部分の知能、つまり若いうちから勉強を続けることで得られる知能は歳をとっても落ちないことが明らかにされている。

むしろ、脳の老化の影響を受けやすいのは感情面である。実際、感情の切り替えや意欲をつかさどるとされる前頭葉から脳の萎縮は始まる。正常な老化でもまず前頭葉が萎縮するのだから、感情が老け込むのは自然の摂理なのだ。このような感情の老化は正常な老化といえるものなので、使っていればそれほど老け込まないし、使わないと余計に老け込むことは十分想定されるものである。つまり、高齢になってから、感情面でビビッドな生活を送っていないと、余計に感情が老け込み気力や意欲がなくなってしまう。すると頭を使わなくなるし、体も使わなくなるので、知的機能や身体的機能も衰えるという悪循環に陥ってしまうのだ。

感情の老化予防のためには、自分が楽しめることをするのが大切なのだが、勉強というのも意外に可能性のある選択肢だ。自分の興味のあるものであれば、新しいことを知ったりわかったりするのは楽しいことである。そして、それが意外に感情を刺激し、その老化を防ぐ。また勉強するためには、アクティブであることが必要であるし、実際に知的機能を使うので、知的機能や身体機能の老化予防にも役立つのだ。

勉強を楽しむということは、実は健康にも大きな影響を与える。最近の精神免疫学の知見では、楽しいことをしていると免疫機能があがることが確かめられている。高齢になると免疫機能が落ちるので、インフルエンザにかかりやすくなったり、病気の治りが悪くなったり、またガンにもかかりやすくなる。勉強を楽しんで行えるのであれば、感染症にもかかりにくくなるし、ガンにもかかりにくくなる。学者が比較的長寿である秘訣もこういうところにあるのかもしれない。実際、オランダのフライ大学のスミッツらがアムステルダムの住民を対象に調査を行ったところ、認知機能の高い高齢者ほどその後の寿命が長い傾向があったという。

長寿・高齢社会において、老化予防や健康増進のための勉強をするのであれば、自分の楽しめるもの、興味があるものを選ぶのがいちばんということだろう。

高齢になっても楽しめるものを選ぶ

だから、高齢になってから、昔からやりたかった勉強、たとえば遺跡の調査や考古学の研究とか、落語のルーツを探るなどをやってみるのは、きわめて有効な健康法といえる。

一方、もちろん、高齢になっても、場合によっては収入を得られる実利的、実用的な勉強もある。人生経験が理解を助け、知識の吸収にも役立つカウンセリングや臨床心理学などはそのいい例といえるかもしれない。

臨床心理学の代表選手といえる精神分析学は今の時代では珍しい高齢者主流の学問であるし、歳をとっても現役でいられる学問である。実際、アメリカで若手理論家といわれるトーマス・オグデンやロバート・ストロロウも五十歳を越しているのだ。

精神分析の祖、ジグムント・フロイトは十九世紀の後半に生まれながら、八十三歳まで生きた長寿の学者だったが、死の直前まで精神分析を続け、科学的な論文を書きつづけていた。私の留学先であるメニンガー・クリニックの創始者であるカール・メニンガーは、九十七歳で亡くなったが、その直前まで現役の精神分析医であった。フロイトの娘、アンナ・フロイトも八十六歳で亡くなるまで、イギリスの精神分析学界のリーダーの一人だった。そしてアイデンテイティやモラトリアムということばを作って日本でもおなじみのエリク・エリクソンも八十七歳になっても著書を著していた。日本でも、最近になって国際的に「甘え」理論が再評価され、ほうぼうの国際学会にゲストスピーカーとして招待されている土居健郎氏は、今年八十歳になる現役の精神分析家である。

要するに、精神分析というのは、これまでの知識や臨床経験がモノをいう分野なので、歳をとるほど円熟していくし、楽しめるのだろう。おかげで、高齢になっても、収入が確保され、知的機能は明晰に保たれ、さらに高齢まで健康でいられる可能性も高くなるのだからいうことはない。

もちろん、それを始める時期も若いうちである必要はない。アメリカでは五十歳を過ぎて正式の分析家になるなどというケースはごまんとあるのだ。

日本では正式の精神分析を学べる場所は限られているが、歳をとって、たとえば、定年退職後に、臨床心理を勉強し直すというのも、十分考慮に値する選択肢だろう。大学院から勉強をやり直すことになるが、自分の人生体験に照らし合わせれば、かなり勉強が楽しめるはずだ。そして、患者によっては、若いカウンセラーより、高齢のカウンセラーのほうが安心できるというケースも少なくないから、必ずニーズは存在する。生活の糧にするために臨床心理士が相談室などを開業するのは、日本では、今のところ苦しいが（自費でカウンセリングを受ける人口が少ないため）、定年以降の補助収入としては十分期待もできる。

長い間楽しめて、歳をとっても実利が期待できるカウンセリングや精神分析は、大人の勉強の中ではお勧めのうちの一つであるのは確かなことだ。もちろん若いうちに始めても何も悪くない。前述の長寿の学者たちも、ほとんどのケースで二十代から精神分析を始めているし、私も精神分析の勉強が楽しくなったのは、三十歳の頃からである。

他にも宗教学など高齢の学者が活躍する分野はいくらでもある。

長寿・高齢社会において、大人のための勉強を選ぶ基準として、高齢になっても続けられ、楽しめるものを選ぶということは一つの知恵かもしれない。

競争社会・能力主義社会の文脈でも、高度情報化社会の文脈でも、そして長寿・高齢社会の文脈でも、勉強は必ずあなたの身を助けることは確かなことのようだ。

第1章

IT時代に求められる能力

中高年層を対象にしたパソコン教室は、熱心な参加者で盛況。

二十一世紀型「頭のよさ」とは何か？

ＩＴ時代が到来し、学歴社会、終身雇用・年功序列制度が崩壊したことで、これまでの学歴秀才や知識重視型の頭のよさでは通用しないというのは、もはや定説になってきている。

しかし、一方では競争社会、能力主義社会の到来で、頭がよくないと勝ちぬいていけないという話も頻繁に聞かれるようになってきた。

それでは、これからの時代に求められる頭のよさとはいったい何だろうか。そのモデルがはっきりしないと、どのように勉強したらよいかわからないし、意欲もわいてこないかもしれない。

本章では、最近の心理学モデルや知能研究で得られた仮説をもとに、頭のよさとは何かを検討し、その頭のよさが二十一世紀の社会において、通用するものなのか、そして、この手の頭のよさが勉強によって身につくものなのかの検討を行ってみたい。

認知心理学における思考力のモデル

心理学の世界で、最近、もっとも注目されているものに、認知心理学がある。

認知心理学とは、人間の知的活動を情報処理過程として捉える学問で、コンピューターの出現以来、その入力や情報処理などをヒントにして目覚ましい進歩をとげてきた。

認知心理学のモデルでは、思考とは、知識を用いて推論を行うことである。ここでいう知識とは、英単語や人の名前、あるいは数学の定理や公式や法律の条文などのような断片的なものだけでない。ある料理の作り方や道路の近道、商談の進め方や複雑な数学や物理の解法のように、経験知と呼ばれるものを含めて、人間が学習や経験を積み重ねていくことによって身につけてきたもの全般についてを指すものである。

人間は新たな問題にぶつかった時に、その解決のためにあれこれと推論を行う。この推論の際に人間の脳は無から有を生むものではない。これまでの経験や習ったことから、現在のシチュエーションや問題に使えそうなことを探してきて、あれが使えるんじゃないか、このやり方のほうがいいんじゃないかとあれこれとシミュレートしてみて、その場での問題を解決するための答えを出すわけである。つまりこれまでの経験や学習によって得られた知識を用いて推論を行うわけだ。ただし、このプロセスが意識されないこともあるので、問題をみてすぐに解法が推論できた場合などに、思いついた、つまり無から有を生んだような気になることがあるのである。

豊富な知識を使って適切な推論ができる人

新商品の開発一つとってみても、これまでの経験でどのようなものが売れたかとか、どういう点の評判がよかったか、どういう点の不満があったか、そして他社の製品ではどのようなものが売れているか、他の分野での流行や売れ筋のトレンドはどうかなどの知識を用いることによって、どのような商品をどのような価格で、どうやって売ればよいかなどの推論を行う。その思考の結果で開発のプランを立てていくことだろう。

大勢のディスカッションの時以外にも、実は、人間はものを考える際にこういう作業をたえず行っている。たとえば、数学のテストでも、知識を用いて推論を行うという作業をしているのだ。これまで解いたことのない数学の問題にあたった際に、これまでやったことのある問題の解法が使えないかを試してみて（この解法が記憶として残っている場合の話であるが）、あれこれと推論を行い、いくつかのやり方を組み合わせて問題を解くわけだ。前述のように、このプロセスが意識されないためにひらめいたと思うことがあるだろうが、これが思考プロセスの原則なのだ。

ちなみに私は、数学の解法を身につける際に、必ずしも自分で解く必要がない、あるいは数学の問題を早く解けるほどの学力がない（これは多くの場合、解法という知識が足りないせいなのだが）問は、早めに解答をみて、その解法のパターンを覚えておくという形で省時間型の勉強法を提案したことがある。これがいわゆる暗記数学である。

いずれにせよ、新商品の開発の場合はこれまでの経験や他社の製品や現状のマーケットの分析結果が、数学の問題を解く場合はこれまで解いたり覚えたりしている解法が、知識となるわけである。そして、知識が多いほどさまざまな形での推論が可能になるわけだ。そういう意味では、認知心理学の考え方では、広い意味での知識が豊富なほうが好ましいことになる。もちろん思考というのは知識を使って推論するわけだから、知識を単にもっているだけでなく、それが使えないといけない。つまり、それを材料にして推論ができないといけない。こういう能力は個人のセンスにも規定されるだろうが、やはりトレーニングに負う部分も大きいだろう。

たとえば、同じ受験勉強でも、入試問題の質によって、トレーニングは異なるものになる。歴史の問題で、「〇〇が起こったのは何年か」という知識だけを問う問題を出題する大学もあれば、「江戸時代前半の貨幣経済の特色を二〇〇字以内で述べなさい」という問題を出題する大学もある。後者のほうがより「知識を使って推論する」能力をみるテストに近いものとみなされる。もちろん、この二〇〇字の解答を丸覚えする人もいるだろうが、それでは「貨幣経済の特色」には対応できても、たとえば「庶民生活の特色」という問われ方をすると解けないことになる。つまり、同じ日本史の受験勉強をするにしても、後者の問い方をする学校の対策では、「知識を使って推論する」訓練をしておかないといけない。

そういう点では、定石を覚えて、そのパターンを用いて対局する将棋や、解法パターンを覚えて、それを使って問題を解く数学や物理の勉強などは認知心理学の立場からすると優れた思考トレーニングということになる。あるいは、料理などで、フレンチの知識を使って、和食に応用するなどというのは思考力のトレーニングでもあるし、優れた料理人は、この手の思考力とベースになる知識が豊富だということになるだろう。

いずれにせよ、認知心理学の考え方で思考力のある人間とは、知識を多く身につけてきて、それを使って適切な問題解決を行う推論ができる人ということである。もちろん、これは受験勉強だけでなく、実社会でのさまざまな問題解決で求められる思考力のはずだ。

自分の知的機能をモニターする能力

しかし、時に知識が多すぎるためにいろいろな場合を想定しすぎて、結論が出せない人や、これまでの知識（たとえば、これまでどんな商品が売れてきたかという経験則やいわゆるマーケティングの常識とされていること）に縛られてしまって、時と場合に応じた柔軟な推論ができない人もいるだろう。知識は豊富だが、「頭の悪い」人間といわれるのは、こういうケースである。

ここで登場する概念がメタ認知である。

ある程度以上複雑な問題に出会った時に、「頭のよい」人間であれば、それをいきなり解決しようとしないものだ。自分がその問題を解くための知識をどの程度もっているかとか、自分がどのような認知のパターンをとりやすいか（たとえば、これまでの知識に拘泥《こうでい》されやすいとか、気分が落ち込んでいる時は悲観的な推論をしてしまうなど）とかいうことをモニターしたり、評価したりするものだ。このように自分の個々の認知活動を上からみるような認知のことをメタ認知という。

ブラウンという認知心理学者によると、問題解決にかかわるメタ認知には次のようなものがある。

①自分の能力の限界を予測する。

②自分にとって今何が問題かを明確にできる。つまり同じわからないという場合でも、何がわからないのかが明確にいえる人はメタ認知能力があることになる。

③問題の適切な解決法を予測する。そしてその具体的な解決の計画を立てる。この場合、解決法が複数ある場合は、どれが有効かの判断ができるのもメタ認知能力である。

④点検とモニタリング。これが自分の認知パターンを上からみる作業ということになる。

⑤活動結果と目標を照らし合わせて、実行中の方略を続行するか、中止するかを決める。つまり、このまま続けていってできるのか、それとも別のやり方にするほうがいいのかの判断

力もメタ認知能力なのである。

メタ認知ができる人はどこが違うか

最近は、もっと広い意味で、自分の認知に関する認知一般をメタ認知と呼ぶようだ。人間の思考や推論というものは、これまでの知識だけでなく、驚くほど自分の立場や感情に振り回されるものである。たとえば、ある心理学の実験で、同じくらいの知的レベルにあるたばこを吸う人と吸わない人に、「日本人のタバコ好きの比率はどのくらいと思うか？」という質問をしてみたところ、たばこを吸う人のほうが、吸わない人に比べて「タバコ好き」が多いはずだという推定をする傾向にあるという結果が出た。同じくらいの知的レベルであっても、自分の立場によって、こんなに簡単に推論のパターンが変わってしまうのである。

だとすると、推論の材料である知識を集める段階で、つい自分の期待に沿う情報ばかりを収集し、そうでない情報を直視しないということも起こり得るであろう。あるいは、周囲の人間がみんな同じ意見だったり、その分野での権威の人が発言をした場合、つい自分の推論をそれに合うようにしてしまうという傾向は、すでに多くの社会心理学者の実験で確認されている。

だから、多少知的に優れていたり、経験を積んでいたとしても、このメタ認知ができていないと、その時の状況や感情に左右されて、誤った判断を下すことは往々にしてあり得る。知識が豊富で正しいものであっても、推論というのは周囲の状況や自分の感情状態などに左右されて、意外にあてにならないものなのだ。

ここでメタ認知ができる人であれば、どうも今の立場に自分の認知が左右されているようだとか、これまでの知識にとらわれすぎているとか、感情に振り回された判断をしているのかもしれないという可能性も検討できる。これによって推論の誤りを矯正できるわけだ。たとえば知識が多すぎて邪魔になるというケースにしても、メタ認知が有効にできる人であれば、自分のもっている知識が使えるものかというモニターを常に行えるし、自分のもつたくさんの知識の中での優先順位をつけたりもできるだろう。

以上のことをまとめると認知心理学の考え方では、

①考える材料として十分な知識があること

②その知識をもとにいろいろなケースを想定していくつものパターンの推論ができて、その中からいちばん適切な推論を選ぶことができること

③さらにその上に、たとえば自分の知識が十分であるかとか、感情に流されていないかなどと適切なモニターをするメタ認知ができること

が、「頭がいい」条件となるのだろう。

「クリティカル・シンキング」という方法論

このような認知心理学の考え方から、ただ漫然と自らの知識をもとに推論を行うのでなく、システマティックに問題解決をしていく思考の方法論が提起されている。たとえばロヨラ大学心理学科教授のユージン・ゼックミスタとジェイムス・ジョンソンが紹介しているクリティカル・シンキングがそれだ（これは日本語にすでに訳されているので参照されたい。宮元ら訳『クリティカルシンキング』〈入門篇、実践篇〉、北大路書房）。

このクリティカル・シンキングの三つの主要な要素は以下の通りだといわれている。

①問題に対して注意深く観察し、じっくり考えようとする態度
②論理的な探求法や推論の方法に関する知識
③それらの方法を適用する技術

ゼックミスタとジョンソンはこの三つの要素のうちいちばん大切なのは、①の態度だといっている。心がけを変えれば誰でも「頭がよく」なれるというわけだ。

私は②の探求法や推論の「方法についての知識」も大切な要素と考えている。たとえば、受験勉強についても、ただ単に参考書や問題集をこなしていくより、志望校の過去問を分析して対策を立てたり、数学の解法を暗記するなどという形で「勉強法」を工夫することで、はるかに

よい結果が得られることが多いはずだ。このような勉強法は、自分一人で考えていても、そういい方法がみつかるものではない。勉強法の本を読んで、その中で自分に合うものをみつければいいわけだ。勉強法についての知識が多ければ、自分の能力や時間に合わせて、もっとも効率のよいやり方が選べる。つまり勉強法についても推論ができるわけだ。そういう意味では、本書を読み進めてもらえば、クリティカル・シンキングの手助けにもなるだろう。

③の技術は、勉強法を知った上で、実際に行っていく中で身につくものと考えてよいだろう。たとえば、私のいう暗記数学を実践するにしても、中間過程は自分で計算するとか、最初の五分は考えてみるとか、そういう技術を用いることで、「数学力」を上げるという問題解決をより具体的に可能にするわけだ。もちろん、本書ではこの手の具体的な技術についても紹介していく。

これらを用いてどのように、問題解決の中でクリティカル・シンキングを行っていくかについては、ゼックミスタとジョンソンが適切にまとめている。

次ページの図1―1（『クリティカルシンキング実践篇』より）は彼らが作ったチャートである。自分の人生や仕事に関して問題が生じた際には（実は、問題があることを認めることも重要な能力なのだが）、①の態度を用いて、自分の行動や思考パターンについてメタ認知的な自問を行ったり、②と③の知識と技術を用いた上で、自分の知識や技術に関してもメタ認知的な自問

図１－１　問題解決のプロセスの中でのクリティカル思考

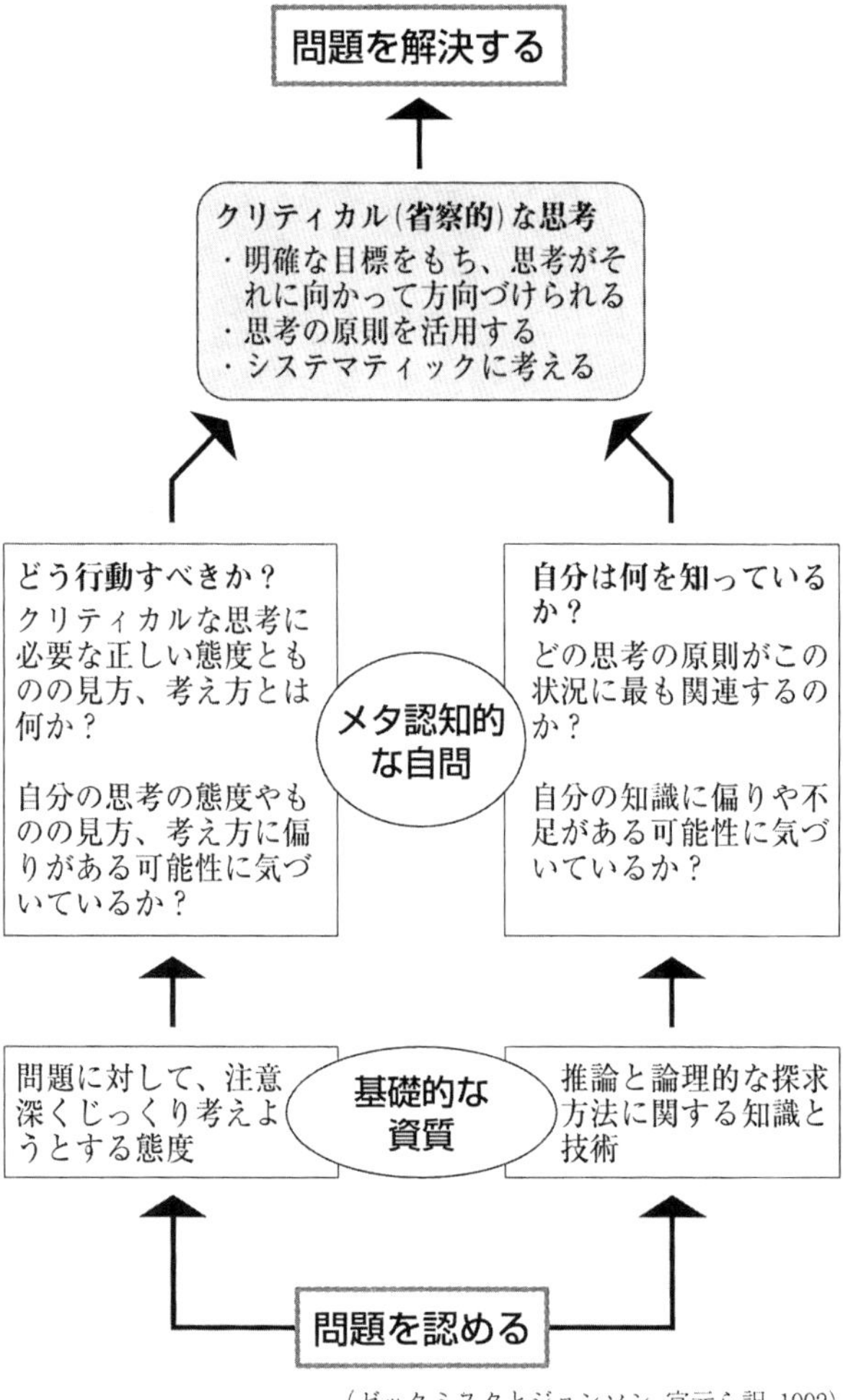

問題を解決する
クリティカル(省察的)な思考
・明確な目標をもち、思考がそれに向かって方向づけられる
・思考の原則を活用する
・システマティックに考える
どう行動すべきか？
クリティカルな思考に必要な正しい態度とものの見方、考え方とは何か？
自分の思考の態度やものの見方、考え方に偏りがある可能性に気づいているか？
メタ認知的な自問
自分は何を知っているか？
どの思考の原則がこの状況に最も関連するのか？
自分の知識に偏りや不足がある可能性に気づいているか？
問題に対して、注意深くじっくり考えようとする態度
基礎的な資質
推論と論理的な探求方法に関する知識と技術
問題を認める

（ゼックミスタとジョンソン、宮元ら訳、1992）

が行えれば、問題解決に対してシステマティックにアプローチしていくことができる。これこそが、クリティカル・シンキングを用いた問題解決であり、これができれば、確かに「頭がよくなる」はずだ。

心の発達とは対人関係スキルの発達

このような認知心理学者たちの、「頭のよさ」のモデルは、人間の思考過程や認知プロセスを、情報処理課程として捉えるものなので、非常に具体的な形のものとなっている。

ところで、最近の精神分析の考え方では、人間の心の成長とは、個人レベルの心の機能の発達より、対人関係のもち方の発達なのだという考え方が強まっている（これを one-person psychology から two-person psychology への変遷と呼んでいる）。たとえば、ダニエル・スターンという乳幼児精神医学者でもある精神分析学者は、人間の心の発達は、コミュニケーションのモダリティの発達なのだとしている。すなわち、生まれたばかりの赤ん坊は、最初肌のふれあいというコミュニケーションしかもたないが、次に身振りや表情のような非言語的なかかわり合いをもてるようになる。それが、さらに言語を通じたかかわり合いをもてるようになるというモデルである。

ここで重要なのは、子どもがコミュニケーションの手段を増やしていくとか、それをソフィステイケートさせていくというより、たとえば親子間で展開されるかかわりそのものの発達のほうを重視することだ。あるいは、ハインツ・コフートという精神分析家による、他人への依存のあり方が未熟な一方的なものから、お互いに共感のできる成熟したものになることが、人間の心の発達なのだという主張は、精神分析の世界では主流になりつつある。

このモデルを援用すると、頭のよさについても、他人をまき込んだ形の「頭のよさ」のモデルが想定できるだろう。

たとえば、知識一つとってみても、一人の人間がもてる知識は限られている。ある分野では専門家になれたとしても、別の分野ではそうはいかないことのほうが多い。ところが、現実の問題解決では、一つの分野だけでなく、他の分野の知識も必要になることが少なくない。たとえば、景気回復ということにしても、既存の経済学の枠組みでうまくいかないのなら、消費者心理の分析など心理学の知識があったほうが有利かもしれない。ここで、経済学者が心理学の勉強をして、自らの知識を増やして問題解決をはかるという方法がある。しかし、心理学について素人である経済学者であれば、心理学の基本的な考え方を知らないために、本を読んでもうまく理解できないかもしれない。あるいは、心理学を学ぶ方法についての知識や技術も持ち合わせていないだろう。だから、経済学にうまく使えそうな心理学の本を選ぶのは、非常に困難であるはずだ。

　ここで何人かの心理学の専門家の話を聞けば、わからないことは質問できるし、自分の興味の対象だけピックアップすることもはるかに容易になるだろう。つまり、自分が知識がなくても、その知識のある人と知り合いであったり、知識のある人に聞いたりする能力があれば、自分のもつ以上の知識を外部ハードディスクのように用いることができる。つまり推論の材料としての知識はアウトソーシングできるのだ。たとえば、経済学者が心理学者の説明を聞きながら、経済学者の立場でその心理学の知識を用いて推論をすることは可能である。一人の力で知識を増やそうとするより、知識のある知り合いを増やすことができる対人関係能力をもっているほうが、現実の問題解決能力がある人間ということになるし、おそらくは、後者のほうが「頭のいい」人間と目されることだろう。

　インターネットなどを通じて、知識はいくらでも手に入る時代になっても、情報の取捨選択を行い、推論に役立つ形で知識を提供してくれるという点では、少なくとも現時点では、やはり「わかっている」人に頼るに勝る方策はない。

　自分の認知状態をモニターするメタ認知にしても、必ずしも自分でやる必要はないだろうし、それはいうほど簡単ではない。特に人間というのは感情的になると、推論が感情に影響されるのをコントロールしにくくなる。そのくらい感情というのは力をもつものなのだ。場合によっては、他人に自分の認知パターンや感情状態をモニターしてもらうほうが、より実際的なメタ認知機能を果たすかもしれない。

他者を通じての思考・感情のコントロール

実際、感情状態によって、人間の推論や認知パターンが変わるというのは精神医学の世界ではよく知られたことだ。たとえば、昔からうつ病になると、人間の認知は悲観的なものになり、ひどい時には、妄想まで生じてしまうとされている。

ドイツの精神病理学者クルト・シュナイダーは、うつ病の三大妄想の観察をしている。一つ目は、うつ病の時には、ちょっとした体の不調も大病の証拠だと考えたり、自分は不治の病に冒されていると信じてしまう妄想である。これは、心気妄想と呼ばれている。二つ目は、人に迷惑をかけていると過剰に思い込んで、あげくには自分が悪いことをしている罪人のように感じてしまう妄想で、罪業妄想と呼ばれている。三つ目は、自分を必要以上に貧しいと感じたり、どんどん貧しくなっていくと信じてしまう貧困妄想である。

以前は、このような認知の歪みはうつ病の症状なので、薬を使うなり、時間を待つなりしてうつ病がよくならないことには、認知パターンも変わらないと考えられていた。確かにうつ病の患者に自分で気分を変えなさいというのは無理な話である。

ところが、ペンシルバニア大学精神科教授のアーロン・ベックは、その悲観的認知をプラス思考をさせるなどの方法で矯正すると、気分のほうもよくなって、うつ病が治っていくことを発見した。これが認知療法と呼ばれ、最近ではアメリカ精神医学界でも注目を浴びる治療法となっている。

たとえば、うつ病の患者が貧困妄想を患って、貯金が一億円もあっても、このまま自分が貧乏になって、妻子を食べさせていけなくなるのではと不安になったりする。こういう時に認知療法家は、客観的な証拠をつきあわせて、今の悲観に根拠があるのかといったことをディスカッションするなどして、悲観的なものの考え方を修正していく。あるいは、現在抱えているいろいろな問題について、一つの解決法や予想（これがうつの時は往々にして悲観的なものになる）だけでなく、いくつものパターンを想定できるようにしていく。そしてその中には、楽観的な観測も含まれるように仕向けていく。場合によっては、悲観的な考え方が浮かんだら、その逆の観測も想定させてプラス思考にもっていくというわけだ。

このように認知パターンを変えることで感情のコントロールが可能になるわけだが、これは少なくともうつ的な感情に支配されている際は、一人でできることではない。うつ病の患者に認知療法の本を渡して、このようにしなさいというより、認知療法家という人を介して認知のパターンを変えていくほうがはるかに治療は容易なのだ。

つまり認知療法も、他者を利用した、あるいは他者に依存した認知パターンの修正ということになる。ふだん、一人でできる認知療法的な、感情のコントロール法やうつ病の予防法は、本書で後述するが、実際に激しく気分が落ち込んでしまった場合は、医者に行ったほうが賢明である。また、そこまで重症でない場合は、ある程度認知療法的なものの考え方を知っている親友を通じて、自分の思考パターンや感情をモニターしてもらえれば、落ち込みから抜け出せない悪循環に陥る可能性はかなり低いものとなるだろう。

「共感能力」を重視する現代精神分析型感情コントロール法

問題解決のために知識や推論の方法を他人から聞いたり、また、メタ認知を行うために人から何らかのアドバイスを得ることは、認知心理学の立場からも意味があることである。また、認知療法の考え方でも、健全な認知パターンを取り戻すには信頼できる人をもつ必要があるとされている。こういったことから考えると、対人関係のスキルは、頭のよさを保つ重要なファクターだといえる。

実際、人付き合いのいい人のほうが、自分の感情のコントロールがうまくいくだろうし、他人の感情だってよくわかるだろう。また、受験勉強と同様に、大人の問題解決においても、何カ月、何年間といった長時間を要するプロジェクトなどがあるので、その間の不安や抑うつに対する心のサポートや、動機付けの維持のためには、頼りになる他者の存在は必須のものといえよう。

ここで浮上してくるのが、現代アメリカでもっとも注目されている精神分析理論である自己心理学の理論だ。

前述のように、自己心理学の祖、ハインツ・コフートの考え方では、人間の発達の目標は、親への依存関係から自立していくというものではなくて、親や別の人間との依存関係を未熟な依存から成熟した依存に変え、周囲の人間を心理的にうまく利用できるようにするというものである。つまり成熟した依存関係がもてることが、対人スキルの発達目標であるわけだ。

では、成熟した依存とはどういうものなのだろうか？

コフートは、依存が一方的でないということを強調している。こちらが相手に何かを望んだり、期待したりする代わりに、相手が望むものをわかってあげたり、それを満たしてあげようというのが、成熟した依存というわけである。

たとえば、子どもは食事や住居にしても、遊ぶことにしても、さらにはほめられたい気持ちを満たしてもらうことまで、すべて親に一方的に依存する存在だ。子どもが親にできることといったら、親の望みをかなえてあげて親を喜ばせるくらいしかない。これに子どもがうすうす気づいて、親に依存する代わりに、いい点をとって親を喜ばせてあげようということができるのであれば、これも立派な「成熟した」依存関係といえるわけだ。そういう点では、「いい点を取ったら○○を買って」という要求は不純なものでも何でもなくて、子どもが一方的な依存（無条件でものを買ってもらえると期待すること）から、成熟した依存関係をもとうとする大事なステップなのである。親のほうも子どもに堂々と期待してよいのだ。

一見単なる依存関係にみえても、相手の気持ちを満たしてあげたり、相手を喜ばせているという要素がそこにあれば、これは成熟した依存関係ということになる。もちろん、これは大人同士の関係についてもいえることだが、そのためには、物質的なギブアンドテイクだけでなく、相手の気持ちを読めることが大切になる。

ここで大切なのが、共感の考え方だ。もともとのコフートの考え方では、共感は、自分の主観を用いた相手の気持ちの観察の手段だとされている。相手の立場に身をおいてみて、自分がどんな気分や感情になるだろうと想像するのが共感である。こうすることで相手の心の世界がみえてくるという観察の方法なのだ。

実際、相手が本当は何を望んでいるかがわからないことには、相手の心理的なニーズを満たすことはできない。並の上くらいの営業成績が発表された部下は、トップクラスでないのを慰めてほしいのか、前より成績が落ちたことについて喝を入れてほしいのか、そこそこの営業成績がとれたのをほめてほしいのか、あるいはこんな成績でも大丈夫だという保証がほしいのか。その部下の心理状態や、社内的な評価のしくみ、またその部下の成績が以前と比べてよくなったのか、悪くなったのかを知らなければ、部下が望んでいる言葉をかけてあげることはできない。その部下にきちんと目を向けて、たえず相手の立場を考えないと、その部下は上司に心理的に依存した気になれない。要するに、相手の立場や、これまでの相手の体験を知らないと、なかなか共感は機能しないものだ。この共感の能力が身について、相手のニーズが読めて、それを満たしてあげる努力をしていれば、深い人間関係を作るのも、人との信用関係を築き上げるのも容易なものとなる。

晩年のコフートの考え方では、この共感という体験を通じて、人間は心理的に結びつくことができるとしている。つまり、不安な時や落ち込んだ時に支えてくれる親友を作れるか否かは、自分の共感能力に負うところが大きい。普段から相手の心に波長を合わせて、相手が不安な時や自信を失っているのを支えてあげれば、自分もそういう思いができるものなのだ。

このように自己心理学の考え方では、他人への共感能力があって、それを通じて健全な相互依存の関係を作れる人が「心の成長した人」ということになる。これは、取りも直さず、社会生活の中で「頭がいい」とされる条件でもある。

他者を利用した「頭のよさ」

これまでの話をまとめると、私の提唱する頭のよさとは、外部情報（他人の知識やインターネットで得られる知識）を含めてなるべく幅広い知識が利用できて、それを用いてなるべく幅広いバリエーションの推論を行い、さらにメタ認知的にそれをモニターしていくと同時に、それを通じた感情のコントロールが可能な人ということになり、なおかつ、それは自己完結的なものではなくて、上手に他者に依存することができて、ロングスパンでみると、他者の力を借りながら、問題解決にあたってのさまざまな障壁を乗り越えることができる人ということになる。

要するに認知心理学者のいう頭のよさと違って、私のいう頭のよさは、人を使ったり、人に頼ったりしながらでも、問題解決がうまくできるならそれでいいじゃないかという頭のよさである。知識を提供してくれたり、メタ認知的なアドバイスをくれるような仲間を選ぶ能力と、仲間と良好な人間関係をもつ能力があれば、自分の知識やメタ認知能力を補うことができる。すると、実際の問題解決では、十分能力が発揮できるからだ。少なくとも、人の意見やアドバイスが素直に聞ける能力や、自分にそのような意見をいってくれる人を友人やブレーンに選ぶ能力、そしてそのような友達が自分の味方になってくれるような共感能力は「頭のよさ」につながるものだ。

もちろん、これは全面的に他者に頼ることも意味しない。日本では、周囲に知識の豊富な人や、優れた推論ができる人が大勢いて、何をやるにしても上手に人を使えるし、適材適所の人間を探すことのできるというコーディネーター的な能力に優れている人が、評価されつづけてきた。しかし、自分の仕事である以上、最終的な判断や決断はやはり自分で行うべきものである。また各々の分野で一人の専門家に頼っているだけでは、結果的に知識も推論も広がらない。複数の専門家の意見の中から選択するとなれば、自分自身の知識や推論、メタ認知能力は相当高い水準が要求されるものだ。逆に自分の知識や能力の限界も考えずに、何でも自力でやろうという人がいるなら、それこそメタ認知能力に欠けるということになる。

最終的には、大人の社会での「頭のよさ」というのは、結果で判断されるのだが、そのためには人を全面的に信頼したほうが結果がいい場合もあるし、自分でやったほうが迅速だし、責任の所在がはっきりする場合もある。そのバランスを判断できるのが、真のメタ認知といえるのかもしれない。

ここで付記しておきたいのは、私が他者を利用する頭のよさという場合、会社での問題解決のようなチームで動く場合だけを想定しているのではない。資格試験や大学入試の受験勉強のようなきわめて個人的な能力を試されるようにみえる課題においても、他者を情報源とし、他者による精神的サポートを有用に利用できる人が、結果的には成功の確率が高くなる。

たとえば、私が在籍した頃の灘高では、お互いの協力関係があったから、東大の大量合格が可能だったと考えている。私が受験し、合格した理科Ⅲ類の場合、定員が九〇人という狭き門だった。こんなに定員が少ないのなら、誰かが落ちないと自分が受からないと考えてもよさそうなものだが、前年度の実績でも灘高からは二〇人近く合格していることを知っているので、他人を蹴落とすより理IIIの合格最低点（当時から四四〇点満点で二九〇点程度）をクリアすれば合格できると考えていたものだ。むしろ、理IIIを受ける者同士で、どの参考書がよいとか、どの予備校の講習がよいとかの情報を交換し合い、お互いを助け合ったものだ。また、いくら灘高が理IIIに強いといっても、受験の最難関とされていたところを受けるのであるから、時には不安になることもあるし、弱気になることもある。そういう場合も、励まし合ったり、悩みを聞いてあげたりした経験もある。結果的に私の受験した年は灘高から現役で一九人が理IIIに合格した。お互いが蹴落とすことを考えていたらこんな数字はあり得なかっただろう。

特に、コフートが強調した共感については、比較的みんなが同じパターンの悩みや不安をもちやすく、同じ課題が与えられている受験期は、自分が相手の立場にいればどんなふうに感じるだろうということの想像がつきやすい。たとえば、模試でD判定を取った親友がいたとしたら、自分が同じ判定を受ければどんな気分になるかの想像がつく。相手の立場に身をおいて、相手がどんなふうに感じるかを観察するという共感の基本テクニックが、むしろ受験勉強では使いやすいのだ。

いい意味で他者を利用した「頭のよさ」というのは、実際は、このように幅広く用いることのできる概念なのだ。

IQの高さとEQの高さは対立しない

さて、ここまでは認知心理学で目標とされる問題の解決能力を軸に頭のよさについて検討してきたわけだが、他の見地からみた頭のよさについても検討してみよう。

認知心理学とは別の方向性で注目されている新しいタイプの知能の考え方にEQという概念がある。もともとはemotional intelligence（感情的知能）ということばが使われていたのだが、アメリカのTIME誌でIQに対抗して、EQとして紹介され、日本でも講談社が翻訳書（『EQ――こころの知能指数』）を出す際に、EQという呼び方を用いたために、EQということばのほうが通りがよくなっている。認知心理学の考え方よりは、対人関係や感情のコントロールのほうに重点をおいた知能の考え方だ。

EQという概念を考案したエール大学のピーター・サロヴェイとニューハンプシャー大学のジョン・メイヤーによると、EQの五大要素は以下の通りだ。

①自分の感情を正確に知る――これがEQの最重要ポイントとのことであるが、これはもちろん一種のメタ認知である。

②自分の感情をコントロールできる

③楽観的に物事を考える――これは、認知療法でいうところのプラス思考ということになる。

④相手の感情を知る

⑤社交能力――これを身につけるためには、上記の四つの要素を満たすことが必要とされている。

この五つの能力は確かに私の提唱する「頭のよさ」と通じるものがある。しかし、いくらこれらの五つの能力に優れていても、あまりに知識が乏しかったり、推論の能力に欠けているようでは、問題解決は成功しないだろうし、社会的な能力に優れているとはいわれないだろう。つまり、EQだけでなく、従来型のIQや認知心理学でいうところの頭のよさのようなものも必要なのである。

もともとEQという概念は、IQが高いのにそれがうまく使えず、社会で成功できない人がいるという疑問への解答として、彼らに欠けている能力として考えられたものだ。これは、取りも直さず、アメリカでも、IQ的な知的機能が高い人間は社会で成功するはずだという暗黙の了解があることを意味している。確かに、感情のコントロールが悪かったり、対人関係能力がなければ、いくら学歴が高くても、知能が高くても、世間での成功は難しいだろう。ビル・ゲイツにしても、パソコンのプログラミングの才能だけでなく、スポンサーをみつけたり、ビジネス・パートナーをみつける才能があったから成功したはずだ。

そういう点では、日本人のほうが感情のコントロール能力や他人の気持ちをわかる能力を社会的により強く要求されてきた。学歴が高くても出世できないというパターンは、そういうものが欠けている人が大部分だった。逆にいえば、高学歴で出世している人というのは、冷たい傲慢な人というのが世間的なステレオタイプとされているが、現実には、根回しがうまかったり、上司の受けのよい人である場合が大部分だ。また出世する人に限らず、一般大衆においても、これらのＥＱ的な能力は、欧米人と比べて社会生活や日常生活の中で必要とされていることもあって、おしなべて高いといってよい。

さて、問題はＩＱが高くてＥＱ的な能力に欠けている人は、それがＩＱが高いためなのか、すなわち、知的なトレーニングばかりすることによって、ＥＱ的なものが身につかなかったのかどうかということだ。

これについては、はっきりＮＯといえる。私自身、ある雑誌で、『ＥＱ――こころの知能指数』の著者ダニエル・ゴールマン氏と対談したことがあるが、彼もＩＱの高さや低さとＥＱは何ら関係のないものだと言明していた。つまりＩＱもＥＱも高めるというのはけっして欲張りなことではない。十分な知識、柔軟な推論能力というような認知機能と、メタ認知的に自己の感情を把握し、それをコントロールする能力、そして相手の感情を読む能力や対人関係をうまく活かせるという共感能力は十分両立するものだし、日本ではそういう人が出世する傾向にあったのは確かなことだ。ゴールマン氏もIQを十分活かせるためにEQの教育を行うべきだと主張しているにすぎず、IQをけっして否定してはいないのだ。

逆にEQ的な能力を身につけておくと、他者を利用した「頭のよさ」の達成がより容易になる。つまり、大人の勉強がうまくいく可能性がより高くなるのだ。

独創性幻想にとらわれないほうがいい

さて、ここまでの文脈では、競争社会や能力主義社会で生き残れる頭のよさを検討してきた。そして、その答えを、認知心理学者たちが主張する「問題解決能力」においた。

実際、いろいろなシチュエーションで、その人が直面している問題を把握し、それを解決できれば、取りも直さず「仕事ができる」人といわれることだろう。そして、その解決のためには、上手に他者を利用できるというのも、重要な条件となるわけだ。

しかし、いわゆる頭のよさには、もう一つの側面がある。それは、独創性であり、創造力である。仕事や日常の課題を確実にこなす能力があれば、本格的な能力主義の競争社会が到来しても生きていけるだろうが、創造性や独創性がないとビル・ゲイツや孫正義のようなドリームの体現者にはなれないという考え方もあるだろう。

しかし、果たしてビル・ゲイツは独創性の人といえるのだろうか？　彼の作ったウィンドウズという世界を席巻するＯＳソフトにしても、むしろマッキントッシュがやってきたことを、これまで世界のパソコンの主流であったＩＢＭコンパチブルのマシーンでやってみたという側面が大きいだろう。要するに、これまで何がうまくいってきたかという知識や、自分のパソコンのプログラミングの知識、そしてコンピューター業界のマーケティングにまつわる知識を用いて、今何がもっとも求められているのかの推論が可能だったのだといえないだろうか？

もちろん、実業家とノーベル賞級の研究者とは違うという考え方もできる。しかし、逆に実業家は、まったく学歴のない人間が大成功を収めることがあるが、ノーベル賞級の研究については、大学院レベルの教育を受けていない人が取ることはほぼなくなった。つまり、独創性といっても、無から有を生むようなひらめきではなくて、基礎的な知識を積み上げ、その上でさまざまな形での推論を行うことによって成り立つものと考えることができる。実際、日本における複雑系経済学の権威で、アメリカやカナダの大学教授経験のある京都大学経済研究所の西村和雄教授は、広い分野の基礎知識が発想の源泉になると主張している。それは、独創性というのは、従来の研究の限界を知っていないと生まれてこないからだという。つめこみなくして独創はあり得ないという同様の見解を東京大学先端経済工学研究センター所長の野口悠紀雄教授も展開しておられる。

これまで、アメリカなどでは、さまざまな形で天才や独創性を育てる教育が試みられたが、現在のところ有意に有効であると証明された教育方法はみつかっていない。実際には、独創性を創り出したり、育てたりというより、むしろ、得意な分野についてはハイレベルなカリキュラムを与えるであるとか、ユニークな、時には風変わりなアイディアや意見を押しつぶさないだとか、あるいは一つの問題に対して可能な限りさまざまな形で答えを用意させるなどということによって、もともと独創的な人間の独創性を引き出したり、壊さないということに主眼がおかれている。

私自身は、独創性幻想にあまりとらわれないほうが賢明だと考えている。すなわち、実際には人があまり考えないことを考えるだけで十分独創的だと考えている。つまり、たとえば、みんなが、これからは日本も、ＩＴの時代だと考えている時に、これまで強かった製造業でやっていったほうが賢明ではないか、高齢者が多いという特性を活かして世界の高齢者産業のリーダーになれるのではないかとさまざまな可能性を打ち出すことができれば、それで十分に独創的なのである。

このレベルの独創性であれば、知識を用いて推論を行うという思考プロセスの中で、推論の幅を広げるということで説明がつくだろう。そこまでは、凡人であっても、日頃のトレーニング次第で何とか到達し得るはずだ。

また、自分の現状の能力を検討することなしに、何百万人、何千万人に一人というノーベル賞級の研究や独創性を、教育によって身につけたいというのであれば、自分の能力の限界を把握できていないという点で、独創性を問う以前に、メタ認知能力に問題があるといわれても仕方ないだろう。

「頭のよさ」の原則は変わらない

先ほども少し述べたことであるが、テクノロジーが進歩すると求められる頭のよさは変わっていくという考え方もある。

たとえば、携帯電話のような小型の端末をインターネットと接続することで、大概の情報が入手できるのであれば、知識を記憶しておく必要はないということになる。あるいは、自動翻訳機が実用レベルになれば、語学力は不用という考え方もできる。

もちろん知識を用いて推論するという場合、知識は人に聞くことも可能であるし、図書館で本を調べることも、インターネットで検索することも可能だろう。電卓の出現で計算の負担が軽減し、ワープロの普及で漢字の記憶の負担が減ったように、確かに知識の記憶の負担は大きく軽減されるに違いない。

しかし、ワープロが使えても十分な読書量がないと、漢字の候補の中から正しい漢字が選べなかったり、いくら電卓が使えても数学の問題を計算問題のレベルまで落とし込む解答能力が必要なように、多くの情報から使える情報を選び出す能力や、その情報をどのように用い、どのような解答や結論を導き出すかの能力は、むしろ情報が氾濫している時代にはより必要とされるものとなる。

将来的にはインターネットを通じて、もっとさまざまなサービスも可能になるかもしれないが、現在のところ、情報の取捨選択でさえ、パソコンでは満足にできない。ましてや、推論の部分をパソコンが代行するのはまだまだ先の話だろう。

ただし、この手の情報検索は、推論のトレーニングにはなり得る。たとえば、介護保険という項目に、さまざまな識者がどのような意見をいっているかを検索するだけで、推論というのは、このように幅広くできるものだということを知ることができる。逆に項目によっては、意外なほど皆意見が同じということもあるだろう。そういう場合は、それについての反論を考えれば、自分の独創性が打ち出せるということになる。

もう一つ、ＩＴ時代で必須になってくるのは、情報やテクノロジーについての知識だ。どの技術がどこまで進歩しているのかを知れば、無駄な努力が大幅に軽減できるし、時間の節約にもなる。ただし、この手の知識はインターネットやパソコンに詳しい友達がいないと意外に手に入らないものだ。

もう一つ大事なのは実行力だろう。調べる気になれば、調べがつくものを、検索が面倒だったり、検索で出てきた情報を読むのがおっくうだったりで結局活用しないことは多い。

私は、いくらテクノロジーが進歩しても、当分の間は知識を用いて推論を行い、その推論をメタ認知でモニターし、また対人関係能力を用いて、知識や推論やメタ認知のサポートをしてもらうというのは「頭のよさ」の原則でありつづけると考えている。普段から知識を用いて推論を行う習慣がある人であれば、知識の検索を幅広く容易に行うことができ、また他人の推論の検索も可能なインターネットによって、知識も推論もさらに豊かなものになる。しかし、そうでない人は情報の洪水に流されたり、検索で出てきた他人の推論を鵜呑みにすることになりかねない。

頭がよくなるかどうかは心がけ次第だが、逆にＩＴ時代のほうが差がつきやすくなっていることは肝に銘じておいたほうがよいだろう。

第2章

頭をよくするトレーニング

チェスの世界チャンピオン G・カスパロフと
IBMのスーパーコンピュータ・ディープブルーの対決(1997年3月)。
カスパロフはディープブルーに敗れた。

1　知識を増やすテクニック

さて、第1章では、頭のよさのモデルを提示したわけだが、これらの一つ一つは、トレーニングが可能なものである。本章では、頭をよくするトレーニング法について検討してみよう。

記憶力とは何か

第1章でも説明したように、ＩＴ時代の到来によって、情報や知識の検索が自由になったとしても、知識はあって邪魔になるものでないし、もっている知識が多いほうが幅広い推論が可能になるというものだ。

もちろん、人間はさまざまな体験をするし、また読書やテレビなどを通じて多くの情報と出会う。しかしながら、これらの入力情報がすべて知識となるわけではない。これらの情報が、通常の思考の際に、推論の材料である知識になるためには、それが脳の中に残っていないといけない。つまり、記憶していないといけないわけだ。

大学受験では、社会科などのように知識の多寡を問う問題が出題されることがある。この際、得点が低かった場合には、通常、二つの理由が考えられる。一つは勉強をあまりしていない、つまり入力情報が少なかった場合である。そしてもう一つは、勉強はしたけれど「記憶力が悪い」という場合である。受験生などの場合、この記憶力のなさを嘆く人は多い。

確かに記憶力というのは、生まれつきの要素があるようだし、個人差も大きい。また、本書を読まれる方の多くは、成人であろうが、記憶力は二十代から徐々に低下するとされているし、その衰える速度の個人差も大きいとされている。アメリカで行われたある記憶テストについての研究では、十七歳から二十九歳までを母集団とした得点分布でみれば、偏差値が四〇以下になるような点しかとれなかった人の割合を調べてみたところ、三十代では二六％、四十代では三〇％、五十代では四一％、六十代では五二％ということだった。

しかし、記憶テストで計られる得点は、たとえば入試の歴史での得点と必ずしもパラレルではない。というのは、これらの記憶テストは、せいぜい十分やそこら覚えていられるかをみるもので、そういうものは個人差が大きいと思われる。しかし、長期間記憶にとどめておく能力については、個人差も当然あるが、それ以上に脳がその情報をどのように処理するかにかかる部分が大きいからだ。

さて、心理学のモデルでは、記憶には入力に相当する記銘のプロセスと、貯蔵に相当する保持のプロセスと、出力に相当する想起の段階があるとされている。これらの、それぞれの段階の特性を考え、それぞれがうまく機能するようなテクニックを用いれば、記憶がよくなるということになる。

集中できるとうまく記銘できる

まず最初は、入力段階である記銘である。

最近の心理学の考え方では、この記銘がうまくいくかを規定するのは、注意と理解であるとされている。

まず注意について考えてみよう。

注意をうまく向けて、その問題に焦点をあてられている状態が、いわゆる「集中している」状態であり、この状態を長く持続していられる人が、「集中力がある」とよくいわれる。こういう場合、その問題をよく覚えていられるのはいうまでもないだろう。

逆に、注意がその問題にあまりいかないで、「気もそぞろ」の状態であれば、よく覚えられないのは、誰でも納得できることだろう。うつ病の時、特に高齢者のうつ病では記憶力が落ちることが知られているが、これは抑うつ気分のために注意が全般に落ちるためであるとされている。

さて、私は勉強法の本を何冊も書いている上、精神科医であるという職業上、「集中力」をつける方法をよく聞かれる。それについて、火事場のばか力的なもの、すなわち土壇場の時にとっさに集中力をよくするにはどうすればいいかということであれば、答えは持ち合わせていない。しかし、もう少しロングスパンでみれば多少は工夫ができる。

一つは、関心をもつことである。面白いと思えるものなら、注意はそこに自然と向かうものである。たとえば、面白いと思ったドラマや落語のストーリーなどは、比較的よく覚えられて、人に話して聞かせることができるのはそのためである。また、単純暗記のようにみえることでも、車好きの人間が車の名前を、ワイン通の人がワインの名前を、こちらが信じられないほど、覚えていられるのもこのためだ。「学校の勉強はできなかったけど、歴史については、誰にも負けないくらい知っていた」などというのも、記憶の心理学からみると当たり前のことをいっているように思える。要するに学校の勉強は嫌いだったので注意が向かず覚えられなかった。しかし、この人の主観では歴史は勉強ではないと思えるくらい（勉強はできなかったが、歴史はできたというのであれば、歴史は勉強ではないと考えていることを意味する）楽しかったのだから覚えられるのは当然なのだ。

つまり、人間の記憶は、生まれつきの能力の差以上に、この注意の差によって記憶に残る量が違うと考えられる。時々、学習障害者でありながら、ある分野にはすばらしい記憶力を発揮する人が報告される。そういう人は、本人は意識していないかもしれないが、ものすごい注意力が、覚える対象に向かっていることが想像される。

　大人の勉強の際には、中学、高校、大学受験などと違い、自分の好きなこと、興味のもてることを勉強することが可能だ。もちろん、どうしても資格を取らないといけないという切迫した事情のある人もいるだろうが、できる限り自分の面白いと思えることを選んで勉強するのが、実は成功の大きな鍵なのである。

　二つ目は、動機であろう。試験勉強の一夜漬けなどを経験したことのある人ならわかるだろうが、やはりせっぱつまった事情があれば、もともとあまり興味がないことについても関心が増す。大人の勉強の場合も、生活がかかっているとか、さらに収入が増えそうだとか、これができるようになれば異性にもてるようになるといったことで強い動機がもてるのならば、注意力が増すのは確かだろう。逆にいえば、大人の勉強では、強い動機がもてるものを勉強するのが成功の秘訣といえる。

　三つ目は、マイナスを減らすという考え方だ。注意力のマイナスになるものとは、たとえば、他に関心がいくことや、不安や抑うつのような気分の不調である。受験勉強をしている際でも、彼女や彼氏のことが気になって仕方がない時には、記憶力が落ちるのを経験した人は少なくないだろう。あるいは、ひいきの野球チームが勝っているかどうかが気になったり、我慢しているテレビドラマがどうなっているのか気になっている時もかなり能率が落ちたはずだ。

だから、私は、受験生向けの勉強法の本では、禁欲的な受験勉強をするなと書いている。みたいテレビドラマや恋人とのデートなどを我慢しても、かえって能率が落ちることが多いからだ。むしろ、みたいものだけはきちんとみて、のんべんだらりとみつづけないとか、週に一回は心おきなくデートをするが、その代わり毎日の長電話をやめるというやり方のほうが効率的というわけだ。もちろん、それによってかえってその恋人のことを考えてしまうような人の場合は、しばらくはその人との関係を断ち切ったほうがいいこともあるだろう。要するに余計な関心事をなくすことが、注意を高める秘訣である。

大人の勉強の場合、なるべく自分の興味があることを勉強すると同時に、他に関心事のない時に勉強するのも成功の秘訣である。つまり、会社の人事のことが気になって仕方がない時とか、恋人との恋愛が燃え盛っている時は、あまり勉強には向かない。他にやることがないから勉強するというのは意外に賢い選択なのだ。

気分の不調も注意力を落とす。前述のように抑うつ状態の際には、人間の記憶力が落ちるといわれているし、不安が強い時やパニック状態の時に記憶力が落ちるのも自然なことだろう。さらに不安が強い時は、不安の対象により関心がいってしまうので、余計に注意力が落ちてしまう。たとえば、胃が痛いのが気になっていて、ガンではないかと心配しているような時は、注意が胃のほうにばかりいってしまうだろう。こういう際には、胃の具合が余計に悪くなることが知られているが、他のことに注意がいかないという問題も生じて、症状だけでなく、社会生活にも不利になるのである。このような状態を森田療法の考え方では、「とらわれ」と呼んでいる。また受験勉強などでも、落ちたらどうしようという不安が強すぎると、落ちることばかり考えて、やはり勉強の能率が下がるというわけである。不安や抑うつのマネージメント法については、後述するが、大人の勉強の際には、精神的に健康状態のよい時に勉強するのが賢明なようだ。

理解できるとうまく記銘できる

さて、注意とともに記憶の入力段階に大きな影響を与えるのが理解である。理解しているものは、よく覚えられるというのは、日常でもよく経験されることだ。たとえば、カラオケの詞を覚えるにしても、日本語の詞は詞の意味が理解できるので覚えやすい。英語の詞の場合は、その意味がわかるかどうかで覚えやすさが違うだろう。そして、フランス語をまったくやっていない人がフランス語の詞を覚えるというのは至難の業だ。基本的にはお経を覚えるのと同じようなものだからだ。理解のもう一つのメリットは、理解していることは、そうでないことに比べて面白く感じられるということがある。理解を通じて、関心が高まり、注意力を高めることができれば、それだけ記憶力が高まるのはいうまでもないことだ。

理解というのは、注意と比べて、かなり意識的に高めることができる。たとえば、少しでもわかりやすい解説書を探すというのは、どんな勉強においても基本的なテクニックである。最近は、さまざまな資格試験や、興味のある分野について、かなりわかりやすい解説書や入門書が出されている。これから税理士を目指そうという場合であれ、これから心理学を勉強しようとする場合であれ、よい入門書、解説書と出会えるかどうかは成功の鍵を握る。理解のしやすさには個人差があるし、自分とその教え方の相性もある。とにかくひたすら立ち読みをして、これならわかると納得できる本を買うのが賢明である。また、特に資格試験などの場合、この人の講義はよくわかるという定評のある予備校や対策塾に行くのも必勝のテクニックである。とにかく、まずわかるようにならないと記憶には残らない。「わかる」ための努力や費用を惜しまないというのが、大人のための勉強法の必須条件といってもよい。

もう一つ大事なのは、自分の理解状態の確認である。きちんと理解できていないことは、あまり頭に残らない。つまり、わかったつもりになっているのでは、いい入力状態といえないのである。学校の勉強や、受験勉強などの場合、試験を理解状態の確認に用いることができる。大人の勉強の場合も、入力段階の工夫として、その場その場での理解状態の確認を勧めたい。

いちばん手っ取り早いやり方としては、人に教えることがある。親友や恋人などに、さっき理解したばかりの内容を、教えてみるのである。たとえば、心理学の勉強をしている場合、「フロイトの心理学の特徴っていうのは、◯◯◯だってよ」というふうにである。ここでつっかえるようだと理解が中途半端であることが明らかになるし、そのつっかえたところの理解に努めるのが、もっとも能率的な勉強法ということになる。

東京大学大学院教育学研究科教授の市川伸一氏の勧める理解への方向付けに、教訓帰納というテクニックがある。これは、ある問題を解いたり、答えを教えてもらった後、「自分がなぜ解けなかったか」「この問題によって何がわかったか」というような教訓を、一般的なルールとして引き出すことである。このテクニックも、何を理解したのかを知ることによって、理解を深め、さらに頭に残すことを目指したものといってよいだろう。

ただのんべんだらりと、勉強したり、読書したり、テレビの教養番組をみたり、インターネットを検索したりするのでなく、一つ一つ確実に理解するように努めるだけで、かなり知識の豊富な、頭のいい人間になれることは知っておいて損はないだろう。

記憶保持における復習の絶大な効果

次は記憶の貯蔵である保持である。

これについては、さまざまな心理実験で古くから効果が確認されているテクニックがある。もっとも有用なものは、何といっても反復である。逆にいえば、それ以外のさまざまな記憶術（たとえば、寝る前に覚えたいことを聞けとか、体を動かしながら覚えろとか）のうち、実際に、科

図２－１　エビングハウスの記憶の保持曲線(1885)

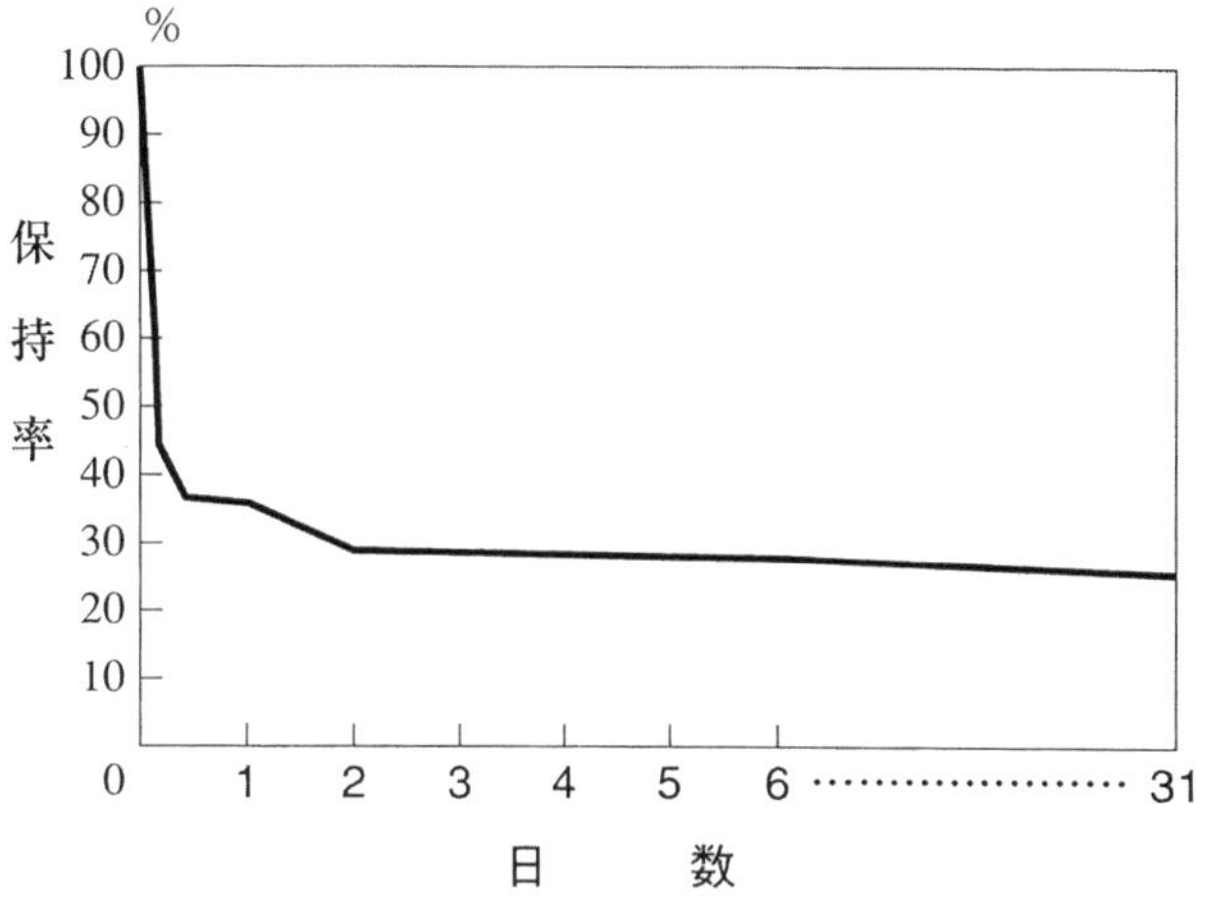

学的に効果が証明され、記憶心理学者の意見が一致しているものはほとんどないのだ。

古典的な実験心理学者であるエビングハウスは、一八八五年にすでに記憶の保持曲線を示している。これは、理解を伴わない事項を材料にしての保持率であるが、復習をしないと一般的には、保持率は、時間軸と対数曲線を描いて低下するとされている（図２―１）。

しかし、忘れないうちに復習することで、この保持率は大幅に改善されることもわかっている。おそらく人間の脳には、続けて出会った情報や、何度も出会う情報を、自分のために大切なものと自動的に認識するシステムがあるのだろう。たとえば、これは食べられるものとか、これは危険なものとかいうことは、このような自動識別のシステムによって、誕生直後からの経験の積み重ねによって、次第に直感的に判断できるようになっていく。

　私は受験生には、翌朝と週末の復習を勧めている。眠ることによる忘却については、いくつかの説がある。ジェンキンスとダレンバックの無意味語の保持についての実験では（図2―2）、寝ている間のほうが目覚めているより保持率が高いとされている。寝ていると余計な情報が入らないので、寝る前に覚えたことを忘れないで済むからだろうと解釈されている。一方、サリバンという精神医学者は、人間は眠ることで、いろいろな不安や不快なことを忘れることができるから精神病にならなくて済むといっている。実際、サリバンがいうようなことを経験した人は少なくないだろう。おそらくは、意味のあることの記憶は睡眠によって、その理解のシステムが崩されることがあるのかもしれない。

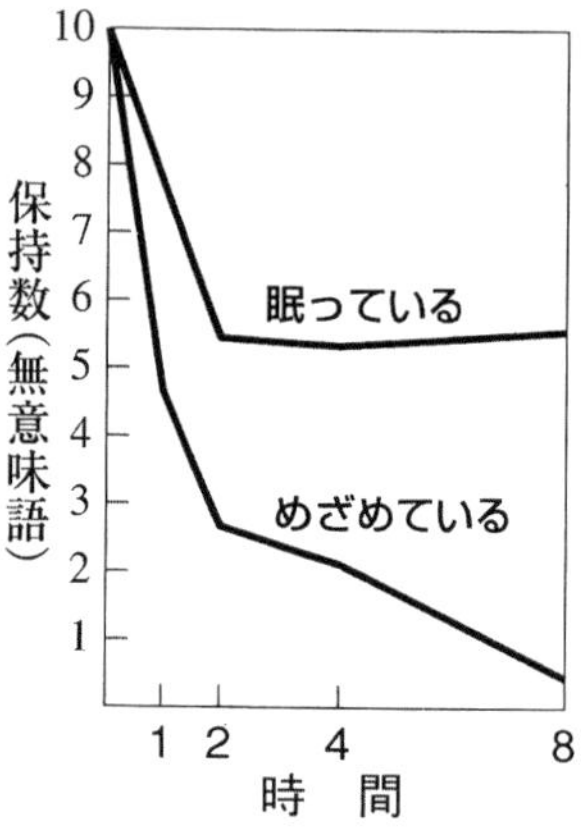

図2－2　ジェンキンスとダレンバックの実験(1924)

　いずれの説をとるにしても、すなわち、眠ることで忘れずに済んだ記憶内容を保持しつづけるためにも、あるいは眠ることであいまいになりかけた理解を回復させるためにも、起きがけの復習は有効なものと私は信じている。昨日、覚えたことを朝起きたら復習するだけで、頭に残り方が違うというのは、私個人の体験としても、あるいは私が勉強法を指導した通信教育の結果からも、確かなことであるようだ。さらに、週末に復習することで、その記憶は、さらに定着する。

確かに復習は、初めてその問題にあたるときのような関心や興味がわくものではないが、復習を通じて、知識ははるかに記憶に残り、使えるようになるのである。

さて、復習にかける時間であるが、これは長ければいいというものではない。一〇個の単語を覚える時間と、それを忘れないために復習する時間が同じであるのなら、復習しないで新たに一〇個の単語を覚えたほうが、トータルで覚えている単語は多いはずだというのはもっともな話である。

復習の妙味は、かけた時間に対して得られるものが多いというコストパフォーマンスのよさにある。たとえば、一時間かけて一〇個の単語を覚えたとして、復習をしないと試験の時まで四個しか覚えていられないのに、十分間復習するだけで、それが八個になるなら、十分で四個覚えたのと同じことになるからだ。実際、クリューガーという心理学者の実験でも、トータルで、一二個の単語を覚えるのにかけた時間の一五〇％をかけて勉強した場合（つまり五〇％の時間を復習に用いた場合）は、はるかに保持率が高かったが、二〇〇％にしても（つまり覚えるのにかけた時間と同じだけの時間を復習に用いた場合）一五〇％の時と大差がなかったとしている。

余計なことは覚えないほうがいい

もう一つ、保持の妨げとなるとされているのは、余計なことを覚えることである。新しいことを覚えると前に覚えたことを忘れるというのは、心理学の世界では逆向抑制というが、これも日常経験することである。勉強をする際には余計なことを覚えようとしないということと、新たなことを覚えた時は、前にやったことを復習しておくというのが、この逆向抑制への確実な対処法といえるだろう。

これは、実は入力段階にもかかわってくることだ。特に資格試験の勉強などの場合、覚えることを必要最小限にするのは、成功の鉄則とされている。そのために出題傾向を分析し、必要な知識とあまり出そうにない知識のセレクションが必須なのである。自分の記憶力によほどの自信がない限りは、入力情報の取捨選択は、大人の勉強の第一条件といってよいくらいだ。これは、知識は多いほどよいという私の主張とは矛盾しない。知識というのは、頭に残ってこそ知識というのであって、入力情報とは別のものなのだ。入力情報は少なくしても、頭に残る知識を多くするというのが、理想的な記憶テクニックである。

もう一つ、いっておきたいのは、新たに勉強をしている時、前にやったことをちゃんと覚えているかを、時に不安に感じることがあるだろう。そういう時こそ、「思い立ったが吉日」で、その場で復習することが、記憶の定着をよくし、不安を解消する最大の戦術であるということである。

大人の勉強の場合は、この復習がないがしろにされることが多いが、若い頃と比べて記憶力が落ちているのだからこそ、この復習のプロセスを大切にしてほしいものである。

軽んじられがちなアウトプット・トレーニング

記憶の最終段階がこの出力段階である想起である。うまく入力して、復習によって貯蔵された記憶も、出力段階がうまくいかなければ試験でもいい点はとれないし、社会でも通用しない。のどまで出かかっているのに答えられないというのは、誰でも一度はしたことのある経験だろうし、覚えたはずなのに、試験の設問には答えられないというのは受験生が往々にして陥る罠だ。

私のみるところ、受験生も含めて、日本人の勉強でいちばん不足しているのは、このアウトプットのトレーニングである。たとえば、受験のための歴史の学習などの場合、問題集を使う子どもが意外に少ない。使ったとしても、力試しや記憶の確認のためで、アウトプット・トレーニングとして使う子どもはまれといってよいだろう。しかし、どんな形で問われるのかを知れば、覚えるべき項目もしぼられるし、何が要点なのかもわかる。同じ歴史の入試問題でも多肢選択問題であれば、ひっかけに合わないようなトレーニングが必要であるし、論述問題では覚える項目を少なくしても、歴史の流れなどを理解することが必要である。あるいは長文の「四〇〇字以内で答えよ」などというような場合は、論旨の展開も含めた文書作成力も要求される。覚えたことを用いて、説明文を作るトレーニングが必要となる。これこそアウトプット・トレーニングの最たるものだ。

大人の勉強の場合、このアウトプット・トレーニングが重要な位置を占めることが多い。資格試験にしても、あるいは、プレゼンテーション能力にしても、覚えただけではだめで、それを使える形で出力しないと意味がない。

プレゼンテーション術などについては、後述するとして、記憶のアウトプット・トレーニングの原則は、覚えたものを、それが実際に問われる状況で使うということだ。試験勉強のために覚えるのであれば、試験の過去問をやることで、問題に出る形で使ってみる。たとえば、資格試験の場合、組み合わせの五択(①a、c、d②a、b③dのみ④すべて⑤それ以外、など)というパターンの問題が多い。だから、その手のひっかけにあわないように、よく勘違いするポイントを押さえておいたり、あるいは絶対にあり得ない組み合わせをみぬくために、〇〇であるものだけでなく、〇〇ではないものも覚えておくなどというトレーニングが有効になる。あるいは、正文法といって、問題に正解をあてはめた時の文章をまるごと覚えてしまって、出題パターンと重要事項をいっしょに覚えるというトレーニングもある。

いずれにせよ、記憶の確認ではなく、記憶するということそれ自体のために問題集を使うのがアウトプット・トレーニング型の記憶術である。参考書を読むだけ、あるいはセミナーを受講するだけといった形の記憶は、使う練習をしないと意外に役に立たないことを知っておくだけでも意味のあることだ（もちろん、これも一種のメタ認知である）。プレゼンテーションのための記憶である場合も、覚えた内容を用いて実際のプレゼンテーションを行わないと、せっかく覚えたことがうまく使えなかったり、単なる知識の披露のような形のプレゼンテーションになって、厭味な印象を与えたり、無教養のようにみえてしまって、逆効果になることもある。

この想起、あるいはアウトプットの段階は、記憶の仕上げの段階である。このトレーニングを少しでも行うかどうかで、覚えたことが使いものになるかならないか大きく違ってくるのだ。

まず大事なのは「興味」と「実行」

知識を身につけ、知識を使えるものにするテクニックは、ある程度おわかりいただけたと思う。多少なりと実行してみれば、これがいかに有用かは実感していただけるはずだ。

さらにいえば、情報社会の今日において、この「実行」と同じくらい大切な態度は、いろいろなことに興味をもつということである。インターネットによる情報検索が容易になり、それ以外にもいろいろな情報検索ツールが利用可能になった現在、面白いと思ったことは、調べてみるという姿勢そのものが知識に大きな影響を与える。

たとえば、イラクやボスニアの空爆のようなアメリカの軍事行動について、外国のメディアがどう報じているかを検索するだけで、何でもアメリカの行動に支持を表明する日本政府のやり方がどの程度妥当で、どの程度危険かもみえてくるだろう。その他、面白いと思ったニュースの背景情報などや、新聞などでみかけてもつい知らないまま放っておいてしまうことばについて検索するだけで、ニュースへの理解が深まり、それが知識となって、ものを書いたり考えたり、あるいは日常会話にも使えるものになる。実際、新聞の見出しなどに出てくる知らないことばというのは、新語であることが多く、時代を読むキーワードになっていることも多いのだ。

知識は、関心をもたないと覚えにくいことは前述の通りだが、それ以前に関心や興味をもたないと、知識そのものにも出会うことができない。ましてや情報ツールが発達すればするほど、知識を求める人と求めようとしない人の出会う知識の量に差がついてしまう。

私自身、さまざまなジャンルの著書が多く、何が専門かわからない人間であるが、心理学をやりながら、経済や教育に関心をもつことで、別の視点をもつことが可能になったと自認している。これまではそういう何でも屋を軽視する時代が続いたが、メタ認知能力さえあれば、知識はもっていて邪魔にならないのだから、関心領域を広げ、興味をもったことはなるべく調べてみるという態度は、これからの時代により重要なのではないだろうか。そしてそのような態度を身につけることが、あなたを「頭のいい」人間に変えていくはずだと私は信じている。

2　推論を豊かにするテクニック

さて、知識を十分に身につけることができそうな気がしてきたところで、次のステップは推論のテクニックである。何度もいうように、知識は多いに越したことはないが、原則的に知識は思考のための材料である。つまり、これを用いて推論ができなければ、ただの物知りで終わってしまい、頭のいい人間とはされないだろう。

外から自分の中に材料を取り入れるという作業を必要とする知識と違い、推論というのは、純粋に脳の中で行われている作業なので、個人差も大きく、他人からはみえにくいものだ。また、知識については質が問われることもあるが、量で測ることもでき、原則的には量が多いほうがよい。しかし、推論については、純粋に質の問題であり、どんな推論の仕方がよいのかという正解はない。そうはいっても、より実用的で、より不適応に陥らない推論のパターンはないことはないので、ここでは、そのような推論のテクニックをいくつか紹介してみたい。

知識を用いて推論を行うトレーニング

まず思考の大原則は知識を用いて推論を行うことである。つまり、自分の知識を加工しない形で、それをただ日常会話のネタにしたり、資格試験の解答などのために使うのであれば、知識を増やしても、さほどは頭がよくなったことにはならないだろう。

たとえば、日本料理の料理人がフランス料理を食べにいったとして、ただおいしいと満足したり、その店の名前と電話番号を自分の手帳のリストに載せるだけでは、おいしい店という知識は増えるが、その料理人の思考には寄与しない。

しかし、たとえばヒラメにはどういうソースがよく合うのかという知識を、食べている間に入手して、それを自分の料理に応用すれば、知識を使って推論を行ったことになる。その料理人が、グルメで、中華でも、フレンチでも、イタリアンでも、あるいはよその和食屋や料亭でも、おいしいと思える店にはなるべく足を運ぶ人であるなら、ある食材を使ってどういう創作和食を作ろうかという時、料理法の知識が豊富な分だけ、さまざまな推論が可能になる。一つの食材に対して、いろいろな料理法や味付けを試してみて（これこそが推論のプロセスである）、その中で、自分の舌にいちばん合ったものを選べば、彼の味覚が一般の人と共有されている限りは、評判のいい創作和食の店ということになるだろう。

実際は、われわれが学校教育の中で、もっともありきたりに遭遇してきた、知識を用いて推論を行うトレーニングは数学である。問題を解いたり、できなかった問題のやり方を覚えたりして、解法に関する知識を身につける。しかる後に、応用問題にあたって、自分の知っている解法が使えないかとあれこれ試してみる。この問題には、この解法パターンが使えそうだという推論を重ねることで、数学の力がついてくるというわけだ。私は以前、問題を解くに際して、このような形で自分の既知の解法を、あれこれ試してみることを試行力と呼んだが、受験数学における思考とは、この試行の要素が大きいと今でも考えている。ある程度解法パターンの知識ができたら、自分の知っている限りの解法パターンを諦めないで試行してみることが、推論というプロセスのよいトレーニングになるのだ。

昔から数学ができる人は頭がよいといわれてきたが、これは数学的なひらめきがあるという意味ではなく、知識を用いて推論を行うというトレーニングがうまくいっているという意味だろう。そういう意味で、実社会で役に立たないと思われている数学教育は、よい推論のトレーニングとなっていたはずだ。これをけっして軽視すべきではない。

私がみるところ、大人になってからでも、趣味的に高校レベルの数学の問題集を解いてみるのは、知識を用いて推論を行うよいトレーニングになる。できないうちは、解答を読んでいくだけでもよい。以前ならちんぷんかんぷんであったものが、大人になってからだとなるほどと思えることは少なくない。そして、覚えた解法を用いて、実際の問題を解くという体験をすることは、推論のトレーニングの少ない大人たちにとっては、格好の頭の体操となるはずだ。

その他にも、たとえば新聞やインターネットを通じて、世界情勢についての知識が貯まったと思えた場合は、シミュレーションによって世界政治の動きを予測してみるとか、あるいは、仲間をつのってそのディベートを行うなど、自分の知識を用いた推論のトレーニング法はいくつかあるだろう。

もう一つの推論のトレーニングは、自分の学んだものを別の分野に応用してみることだ。先ほど例にあげたように日本料理の料理人が、フレンチや中華の知識を自分の専門領域に取り入れるというのも推論のトレーニングになるが、逆に日本料理の料理人がフレンチに挑戦するのも推論のトレーニングになる。たとえば、私が心理学の知識を経済学に応用しようとするのは、消費者心理が経済に大きな影響を与える時代が来たという時代認識にもとづいているものであるが、一方では、私にとっては、自分の専門知識を用いて推論を行うという頭のトレーニングにもなっているのだ。本書の読者が、どのような職業の人であったとしても、たとえば独立や転職をした際に、自分のこれまで得てきた知識をどのように応用できるのかを空想してみるのも、推論のよいトレーニングになるのは間違いない。

単眼思考から複眼思考へ

東京大学大学院教育学研究科教授の苅谷剛彦氏は、人間の思考パターンを単眼思考と複眼思考に分けている。単眼思考とは、物事の一面にだけ目を向け、また問題については、正解を一つ求める思考法である。一方の複眼思考とは、物事には多様な側面があり、みる視点によって、その多様な側面が違ってみえるという立場でものを考えるという思考法である。一般に単眼思考の場合は、世間の常識にとらわれることが多い。

ちなみに、精神医学の世界では、世間の常識とはまったく別の方向で、他の可能性が考えられない単眼思考を行うものは、パラノイア――〈妄想狂〉と呼ばれる。地球が太陽の周りを回っていることを疑えないとすれば、単眼思考であって、思考は貧困なのだが、病的なものとは思われない。しかし、太陽が地球の周りを回っているということを信じて、他の可能性が考えられないとすれば、妄想の持ち主と思われるわけだ。

さて、本題に戻ろう。苅谷教授は、第一回目の授業にビデオをみせ、学生たちに解答用紙を与え、それについての簡単なレポートを書かせる。翌週、彼は、その解答用紙の欄外にA、B、C、Dと書いておく。そして、Aがついていた人にどう思ったかを聞く。すると、たいていの場合は、「思ったよりよかった」「嬉しい」というコメントが返ってくるという。逆にCや

Dの学生は、「あまりよく書けなかったので」などという言い訳をするそうだ。しかし、ここで苅谷氏が、「このレポートを読んでいたら右手が勝手にいたずらをしてアルファベットを書いてしまった。これは成績でない」というと、ほとんどの学生がきょとんとするという。この学生たちは、全員、試験につけられたアルファベットは成績に違いないと考え、他の可能性の考えられない単眼思考をしていたことになる。

この複眼思考のトレーニングとして、苅谷氏は読書の時でも、著者のいうことを鵜呑みにせず、疑問をもったり、簡単に納得しないようにする批判的読書を勧めている。具体的には、本の段落ごとに「ここは鋭い」「納得がいかない」「例外はないか」などという書き込みを入れればいいとしている。確かにこのような活動を少し行うだけで、読書が単なる知識吸収の場から、推論の場にも変わるわけだ。

ものを多面的にみるという文字通りの複眼思考のトレーニング法もある。現在、デノミ論議が盛んだというので、デノミの心理学的効果について新聞の取材を受けたことがある。常識的なものの見方としては、デノミを行うと、ものの値段が安くみえるので消費を刺激するとされる。たとえば、一万円のセーターに一〇〇円という値札がつくようになるからだ。「でも、貯金のほうも少なくみえるようになりますね」と私は答えた。五〇〇万円の貯金が五万円になるという状況を考えると、貯金のほうに目がいっている人は、もっと財布のヒモを締めるかもしれないのだ。物事の別の面を考えてみるだけで、いろいろな可能性が想定できる。私はマスコミなどの取材に対しては、意識的にこのような対応を心がけている。

もう一つの手っ取り早いテクニックとして、いろいろな人の立場に立って同じ事柄をみてみるのもいいかもしれない。たとえば、ドラフト制度の廃止というのを、巨人の立場、広島の立場、ファンの立場、選手の立場などから考えてみるだけで、物事の多面性をみる訓練になるだろう。ここで、スカウトの立場などという意外に人の思いつかないシチュエーションも想定できるようだと、複眼思考もかなり板についたことになるだろう。

同一状況における多様な可能性を想定する

このように推論のトレーニングとしては、物事を多面的にみるということが、考えをワンパターンにしないテクニックとなるのであるが、似たようなテクニックとして、一つの状況において、これからなすべきこと、起こり得ることについて、なるべく多くの可能性を想定してみるというトレーニングもある。

ＩＴ時代の到来というシチュエーションがあるとする。するとこれからは、コンピューターを勉強しないといけない、早めにパソコンを買って、使い方を教えてくれる人を探さなければ、という具合に短絡的な発想しかもてない人も少なくないだろう。しかし、ＩＴ時代だからこそ、むしろ情報の取捨選択や判断のような個々の人間の知的機能が重要になってきたり、通常の読書が必要となるかもしれない。また、パソコンがいつまでも情報の端末であるとは限らない。携帯電話やゲーム機やカーナビで、現行のパソコンと同じ程度の情報が入手可能になれば、パソコンの練習をしたことが無意味になるかもしれない。音声識別がもっと確かになれば、キーボード入力の能力より、的確な文書が頭の中で作れる人のほうが有利になることもあり得るだろう。このように、多少空想的と思われても、普段からいろいろな可能性を想定しておくほうが、柔軟に物事に対応し得るのだ。

「〜はもう古い」が口癖の、先進的といわれるような人のほうが、一つの可能性しか考えられないステレオタイプに陥る危険性が高い。自分は新しい、進んだことをやっている、他の人より新しい情報を握っていると思っていると、自分のアイディアやその情報の確かさを疑えなくなったり、他の可能性が考えられなくなってしまうからだ。

たとえば、あるテレビの討論番組で、「IT時代に日本はどうなる」というテーマでディスカッションをしたことがある。その中では、これからはソフトの時代になるし、日本もソフトに強い人材を育成しないとだめだという主張が専門家とされている人たちの主流の意見だった。そこで私が、「でも、日本は、ハードが強いから、携帯電話やゲーム機がITの端末になれば、競争に勝ち残る可能性もあるのではないか」と意見を述べたところ、ある識者とされている人に「ハードはいいんですよ。でもソフトがだめならばだめなんです」と言下に蔑《さげす》んだように否定されてしまった。私としては、他の可能性を提示しただけであったのだが、彼のように一つの可能性に執着してしまうと、かえって他の可能性が考えられなくなるのだ。

討論番組などの場合、声が大きい人が勝つというパターンや面白くない意見は否定されるという傾向がある。みる側としてみたら、周囲を論破しているようにみえる人の意見を疑ったり、面白くなさそうな意見の可能性を検討したりするほうが推論のトレーニングになるのかもしれない。

たとえば、「子どもに勉強をさせたほうがいい」というのは、一見ステレオタイプな、面白くない意見の代表であるかもしれない。しかし、そのため現在では、「子どもに勉強をさせるのはよくない」といった否定的見解や、学校教育無用論といったユニークな意見のほうばかりを聞かされることになる。するとこれらの一見ユニークな意見がかえって当たり前のようになってしまって、子どもに勉強させる、もしくはさせないことの妥当性が検討されなくなっている。このようなことは往々にして起こり得るから、ステレオタイプの意見の可能性を検討することに意味があるのだ。

ある状況において、特に自分が不安を感じていたり、気分が落ち込んでいる場合も、ワンパターンな予測しか考えつかず、余計に不安や抑うつを強くしたり、あるいは不適応な行動や態度をとってしまうことがある。たとえば、気分が落ち込んでいたり部長に恐怖を感じている人の場合、「部長が呼んでいます」といわれただけで、叱られるとか、リストラされると考えてしまい、不安や抑うつがさらに強くなったり、部長に反抗的になって身構えたりという悪循環のサイクルに陥ってしまう。このような悪循環を断ち切るテクニックは後述するが、少なくとも、「ほめられるかもしれない」「別のプロジェクトの企画かな」などと他の可能性を想定できるだけで、はるかに気分は楽になるし、言動も不適応なものでなくなる。

いずれにせよ、起こり得る可能性をなるべく多く考えられるようにするという日常的なトレーニングが推論を豊かなものにするのは確かなことのようだ。

現実的かつ妥当な推論のためのトレーニング

物事を多面的にみることも、起こり得る可能性をなるべく多様に考えてみることも、推論のトレーニングとしては、きわめて有用なことであるし、精神の健康のためにも好ましいとされているのだが、その態度は、実際の問題解決には、必ずしも有利であるとは限らない。というのは、思考が拡散してしまうことで、かえって結論を出しにくくなることもあるからだ。ブレインストーミングばかりやっていて、企画がまとまらないのでは、商品開発ができるはずないのと同様だ。

問題解決で大切なのは、何を答える必要があるかの焦点を見定めることだろう。たとえば、レポートや小論文では、何を問われているかを見定めて、それに対する解答を出さないことには、高得点は望めない。知識や可能性の羅列では、論文とはいえないのだ。

会社における問題解決の場合は、今の状況で何が求められているのかを明らかにしないと、また、資格試験などの場合、相手がどのような答えや能力を求めているのかを明確にしないと推論の方向がどんどん拡散してしまう。ワンパターンの解答しか出せないのも問題だが、考えが散りすぎるのも実用的ではない。

ある商品の売上を伸ばすという課題が与えられた場合、課題をより明確なものにしたほうが解答はより具体的なものになるはずだ。たとえば、誰を対象に売上を増すのか、利益を犠牲にする（つまり値引きをする）ことはどの程度まで可能なのか。またそのために会議が開かれるとすれば、これは宣伝のための会議なのか、営業のための会議なのかなどという具合に問題の焦点を絞り込んでいく必要がある。自分で問題の所在を明らかにするトレーニングも推論をより妥当で現実的なものにするが、課題があいまいだと思った場合は、上司が何を求めているのかを直接確認するという態度も（日本ではこういう態度が嫌われることがあるのでやっかいなのだが）大切だ。

受験勉強などの場合は、過去問を分析することで、相手がどんな知識や勉強、あるいは推論のパターンを要求しているのかを読むというのも大切な作業だ。たとえば、経済学部の入学試験における世界史の出題は、ほとんどが近代以降の経済史であるというケースは珍しくない。似たようなことは、資格試験一般についていえることだろう。相手が何を求めているかが読めれば、必要となる推論のパターンもより妥当なものとなるはずだ。

確率と場合分けの考え方

もう一つ推論を妥当なものにするために大切なことは、確率と場合分けの考え方である。

マスコミの影響力がきわめて大きな現在、特に大事件などが起こった場合、確率を過大評価して、推論を妥当なものでなくすることが往々にしてある。たとえば、いじめを苦にした自殺が報じられると、子どもにちょっと変わった様子があっただけでも、いじめられているのではないかと過度に不安になる。受験ノイローゼで自殺などということが報じられると、受験勉強を子どもにさせるのが不安になったりするだろう。しかし、統計をみるといじめや受験などを苦に自殺する子どもは、せいぜい年間数十人という数である。過去一年でいじめられたことがあると答える子どもは、大体全体の三割から四割にのぼるし、受験勉強をしている子どもだってそのくらいの割合ではいるだろう。

つまり、この手の親の不安は何万分の一、あるいは何十万分の一の確率のことを心配しているのである。いじめ自殺の報道の際に、自分の子どもも自殺するのではないかとただビクビクしているより、むしろ、いじめの程度が問題なのか、子どもの性格や親の接し方のような別のファクターに問題はないかなどという形で推論を進めていったほうが、たとえば子育てという課題に対してもよほど建設的な推論が可能になる。統計の数字を読んで、どの程度の確率かを確認するという習慣は推論を妥当なものにするし、余計な不安を解消するものだ。

もう一つ大切なのは、場合分けの考え方だ。これは、私が受験数学で身につけたもっとも大きな収穫といっていいものだ。受験数学の場合、一つ解答が求められたからといって喜んでいると、半分も点がもらえないことが多い。たとえば、kがaより大きい場合と、それ以下の場合で、xの値が異なるなどというのは頻出のパターンである。これを推論に応用するのも妥当な答えを導き出すのに有効なトレーニングになる。

たとえば、前述のデノミ議論でも、景気がいい時や雇用不安が少ない時には、デノミでものの値段が下がったようにみえる影響が大衆心理に強く働くだろうが、逆に大衆の雇用不安や不景気感が強い時には、貯金が減ったようにみえるほうに目がいくというふうに、場合分けをすることで、可能性の羅列が、質問に対する妥当な解答に変わっていくのだ。そして、考え得る場合分けを網羅し、それに対してしらみつぶしに答えを出していけば、その状況においてはかなり的確な解決法となるはずだ。このような解答の作り方も、日頃の心がけやトレーニング次第で、かなり質の高いものになっていくことだろう。

つまり、もっとも妥当な推論の条件とは、その状況において問われ、求められていることへの解答になっており、その起こり得る可能性が考慮に値するくらいの大きさのものであり、あらゆる場合を想定して、それに対する答えになっているということになる。そして、このような推論は、日頃のトレーニング次第で、かなりの確率で獲得できるのである。

3　メタ認知を高めるテクニック

さて知識も豊富になり、推論も妥当なものとなったところで、さらに上級の認知能力であるメタ認知のトレーニングに移りたい。

メタ認知の基本は、自分の認知パターンを上からみるということである。知識が足りているかどうか、知識に振り回されていないか、感情に左右されていないかなどという基本的なモニタリング技術を身につけることで推論や思考の妥当性は、かなり確かなものとなる。

というのは、相当頭がいいとされている人でも、自分がすばらしいと思う新知識や、あるいは感情や自分の立場によって、推論が相当歪められることが知られているからだ。うつになると人は悲観的な認知をしてしまうし、一般に「推論は自己を守りたがる」傾向があって、自分の立場に都合のよい推論をしてしまう。たとえば、前にも述べたように、喫煙者は禁煙者と比べて、喫煙人口の比率を高く見積もる傾向があるということが心理実験でわかっている。知的レベルに関係なく、自分と同類は多いはずだという推論をつい行ってしまうものなのだ。おそらく、高所得者は、直接税を減税して、間接税を増税したほうが景気にいい影響があるはずだという推論を行いやすい傾向があるだろう。このように自分に都合が悪いことのほうがよい結果をもたらすかもしれないという可能性が考えられなくなってしまうものだ。

ここで、たとえば、自分の感情状態をモニターして、落ち込んでいるから、悲観的な考え方ばかりしている可能性はないかとか、自分の考え方は高所得者の立場で考えたもので、自分は減税されても全額消費に回さないだろうが、低所得者なら減税分は全額消費に回しそうだから、間接税を減税することで低所得者層の減税になるようにしたほうが、消費を刺激するのではないかなどと自問することができれば、推論のバリエーションは確実に豊かなものになる。より正確にいうと、本来は豊かなはずの推論のマイナス要因が取り除けるのだ。

ここでは、メタ認知能力を高めていくためのテクニックをいくつか紹介していこう。

自分の思考パターンを自問する

メタ認知の基本は自分の認知に対する自問である。問題解決プロセスやディスカッションの中に自分がいる際に、さまざまな形で自分の認知状態に自問してみる。自分はこの問題に対して十分な知識があるか？　自分がもっていたり利用できる知識の中で、この状況にいちばん適しているものはどれか？　自分の推論がいつもワンパターンになっていないか？　最近読んだ本や会った人の意見に影響されすぎていないか？　感情状態に振り回されていないか？　自分の立場に有利な考え方をしていないか？　これまでに形作られてきた認知パターンにとらわれて自由な発想ができていないのではないか？　などなどである。これらの自問の習慣をつけるだけで、自分の中にメタ認知をする自分が生まれるものなのだ。特に知識や人生経験が豊富な人、高学歴な人は、自分の知識や教育に自分の推論が振り回されていないかをチェックするメタ認知を行うだけで、「知識がありすぎるために創造力のないバカ」といわれる可能性がずっと低くなるものだ。

感情状態による推論の偏りを知る

人間の思考が感情状態に左右されているとすれば、自分の感情状態を自覚するだけで、それに対するチェックを行える。ここで、大切なのは、自分の感情状態と思考パターンの対応を知ることだ。これは認知療法の基本的なテクニックである。逆に、認知パターンを変えることで、抑うつ気分が改善したり、不安が解消したり、また対人関係も改善されるので、このテクニックは認知パターンのモニタリング、つまりメタ認知のテクニックであるだけでなく、感情のコントロール法でもあり、対人関係スキルともなるものだ。

図２－３　認知の役割と精神病理

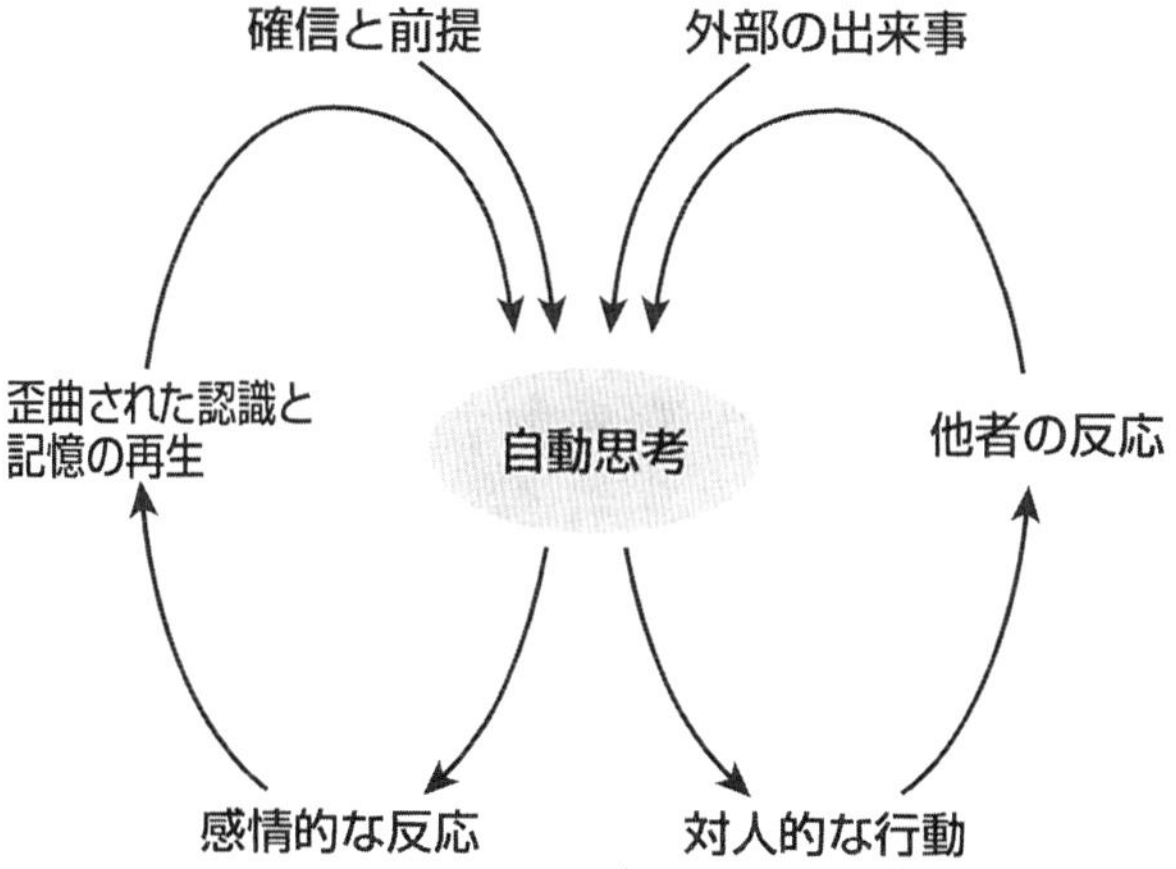

（フリーマンら、高橋祥友訳、1990）

最近の認知療法の考え方でもっとも重視されるのは、自動思考の矯正である。たとえば、前述の例のように、部長に呼ばれた時に「叱られる」「リストラにあう」と、ほとんど何の根拠もないのに思い込んでしまうとすれば、これは典型的な自動思考である。自動思考のやっかいな点は、それが疑えないことと、そのために感情的な反応や不適応な対人行動を引き起こしてしまうことだ。この場合、部長に何かをいわれる前に、落ち込んでしまったり、怒りがこみあげてきたり、不安になったりという感情的な反応が起こり、さらにこれまでの部長がいかに自分を低くみていたかの悪い記憶ばかりが蘇って、その感情が増幅され、自動思考が強化される悪循環に陥る。また、ここでけんか腰になったり、辞表をたたきつけたりして、別にそんな

表２－１　ＤＴＲ（非適応的な思考の記録）の記載例

状況	感情	自動思考
状況を簡単に記載する	０％から100％で評価する	自動思考を引用して、どの程度確信しているかを、０％から100％で評価する
部長に呼び出される	気分の落ち込み　60% 不安　50%	叱られるに違いない　90% リストラにあうだろう　70% 部長は私のことを嫌っている　50% その後一生貧乏する　40% 部長はすぐ人のせいにする　40%

つもりがなかった部長を怒らせたり狼狽させたりするかもしれない。部長が怒ったのが自分の自動思考による対人行動のためであっても、「やはり部長はもともと怒っていたのだ」と自動思考が強化されてしまうのだ（図２―３）。

この自動思考を矯正してやることで、感情状態も対人行動もかなり適応的なものとなる。そのためには、自分の感情状態とその時に自分の考えたことを紙に書いて記録するのが効果的である。これをＤＴＲ（dysfunctional thought record、非適応的な思考の記録、表２―１）と呼ぶ。この紙を後で見返すだけで、自分の思考パターンがいかに感情に左右されるかを知ることができ、徐々にそれを矯正していくことができる。このテクニックを用いる場合に重要なのは、自動思考が浮かんだ際に、すぐに書きとめ、それが起こる可能性がどのくらいかを見積もることだ。頭の中では一〇〇％確実に起こると思っていた思考内容でも、紙に書いてみるだけで、さすがに一〇〇％ではないなと気づいて冷静になれるのだ。

大切なのは、まず自分には自動思考があるのだということを認識することである。このようなメタ認知的な感情と思考のモニタリング法を習慣づけると、感情状態も安定するし、思考内容も妥当なものになっていく。

「推論は自己を守りたがる」傾向を知る

自分の立場によって推論のパターンが歪められている可能性についてももう少し考えてみよう。特に自分の出した推論が自分にとって有利な結論である場合は要注意だ。

たとえば現在の税制の論議では、直接税を減税して間接税を増税していくのが世界の趨勢であるというのが常識となっているが、これにしても、税制の論議をする有識者や政治家が、そのような税制になると有利になる人ばかりだということの裏返しなのかもしれない。これは彼らを非難しているわけではない。というのは、先にも述べたように、彼ら自身が自分の推論が歪められていたり、あるいは他の可能性が考えられなくなっていることを自覚できていないだろうからだ。要するに日本中のインテリの推論のパターンを変えるほど、立場による推論の方向付けは強い力をもつのだ。ついでにいうと、私は直接税を減税して、間接税を増税するのに反対をしていて、こんなことをいっているのでもない。そうではなくて、逆の場合の効果やメリットについての議論がされないことが偏った推論のパターンだといっているだけなのだ。

留学中、アメリカでは人口の一五％が医療保険(アメリカの場合、民間保険である)に入っておらず、医者にかかれない現状をどうするか、というテレビの討論番組をみたことがある。パネリストの一人が、日本のような国民皆保険を導入したらどうかと提案した。すると別のパネリストが「そうすると、日本のように三時間待って、三分しか診療を受けられなくなる」と反対した。そして、その場はすべてその意見にしたがって討論は終わってしまった。

おそらくは、パネリストは全員、現状のアメリカのすばらしい医療を享受できる地位にいる人たちなのだろう。そういう人にとっては、三時間待って三分診療では困るだろう。しかし、このディスカッションのテーマは医療にかかれない人をどうするかという問題であって、そういう人たちにとっては、自分の命にかかわる問題であるから、たとえ三時間待って三分であっても、診療が受けられるだけでも大変ありがたいことである。日頃から批判的思考のトレーニングを受けているアメリカのエリートやエグゼクティブたちですら、自らの立場に都合のよい考え方しかできないということにはっとさせられた番組であった。

感情や立場が自分の推論を歪め、他の可能性を考えられなくすることを知っているだけで、メタ認知的な自問は容易になる。人間に普遍的な推論の傾向を知るのは、メタ認知を行うために、必須のテクニックともいえるのだ。

スキーマの存在を自覚する

推論を歪めるもう一つの要因は、認知心理学でスキーマ（認知的枠組み）といわれるものだ。スキーマも知識の一種なのだが、「人が経験によって身につける知識のモジュール（機能単位）」と定義されている。要するに人間は日常生活でさまざまな情報を認知する時、それを新たな経験としてでなく、既知の知識の枠組みに照らして解釈しようとする傾向がある。このような定型的な認知の仕方や認知の枠組みをスキーマという。実例をあげたほうがわかりやすいだろう。われわれは、昆虫とか、顔とか、おもちゃとか、椅子などのような多くの事柄についてこのスキーマをもっている。このスキーマのおかげで、情報を効率的に貯蔵できるし、推論のプロセスを大幅に省略できるので、日常生活の認知パターンがずっと楽になる。

たとえば、足が六本ある小さな生物をみると、それを初めてみても昆虫だとわかる。ある空間の中で膝くらいの高さの平面があって、脚が四本ついていれば、それが相当奇抜な形をしていて、材質がアルミニウムだったりしても、おそらく椅子だろうなと判断するごとく、昆虫や椅子を一括りにまとめる知識構造をもっているから、それほど迷ったり、考え込んだりすることなく、出会うものを認識できるし、判断することができる。

ところで、このスキーマは推論の省略を可能にして、日常生活や問題解決のスピードアップを可能にする代わりに、思考をワンパターンにしてしまうという特性もある。たとえば、前述の「解答用紙の端に赤字でつけられたアルファベットは成績を表わす」とか「IT時代には、ハードよりソフトが重要」というのは、その人たちがもっているスキーマである。確かにこの手のこれまでの経験によって身につけたスキーマは、たいていの場合、正解といえるものであるし（私にしても、「IT時代には、ハードよりソフトが重要」ということが間違っていると考えて異論を唱えたわけでない。ただ、他の可能性がないかと提言したかっただけである）、たとえば、アルファベットは成績を表わすというスキーマがあれば、答案の脇にAと書いてあった場合、その意味がわからずに、隣のDを取った友人に「このAってどういうことなの？」と聞くことで、厭味な奴と思われたり、相手の落ち込みを激しくしたりするトラブルも避けられる。

しかし、いったんこのスキーマができてしまうと、それがその後の情報処理や思考に大きな影響を与える。一般原則としては、そのスキーマが正しいと信じるように働いてしまうのだ。

クリティカル・シンキングを提唱しているゼックミスタとジョンソンによると、スキーマを作った後の人間の情報処理は以下のように変わる。たとえば、血液型がA型の人はまじめで几帳面というスキーマをもったとして説明してみよう。

まず第一に、スキーマと一致しない情報より、一致する情報に注意が払われるようになる。たとえば、血液型がA型で時間に几帳面だが、整理整頓はルーズな人がいれば、時間に几帳面な側面にばかり目がいって、整理整頓のルーズさを無視してしまう。その人と待ち合わせをしていて、時間通りに来ると「やはりA型の人は几帳面だ」ということになるのだ。

第二に、スキーマと一致しない情報を受け入れにくくなる。その人の机の上がごった返していても、「A型にしては例外」「一時的なものだろう」「頭の中での整理はできていて何がどこにあるのかは把握しているにちがいない」などと自分のスキーマが間違っている可能性を考えずに、その情報を否定する方向で考えてしまう。

第三に、スキーマと一致する情報のほうが一致しない情報より憶えやすくなる。その人についての記憶としては、待ち合わせの時間通りに来たことは記憶に残るのだが、机の上がごった返していることは忘れてしまいがちになる。

第四に、スキーマと一致するように記憶を歪ませることもある。そのごった返した机の上の書類の中で茶色いものをみたとすると、勝手にシステム手帳がおいてあったと記憶してしまうことがあるのだ。そうなってしまうと、その記憶は疑えなくなる。「いつもシステム手帳を使うのは、やはりA型ね」ということになってしまうのだ。仮に、その人が「システム手帳なんか使ったことがない」と答えても、自分の見間違い、記憶違いとは考えずに、「あの時に机の上においてあったじゃないの」と問い返すかもしれない。

何度もいうが、スキーマをもつということは人間の情報処理能力を高めるために当たり前に生じる適応現象であり、もつことそのものは悪いことではない。ただ、複雑な問題解決に際して、スキーマにとらわれないようにするのが大切なだけだ。たとえば、売上が悪い時には、これまでの営業やセールスプロモーションのスキーマがあてはまらなくなっている可能性が強いのに、それにとらわれていたら、新しい方向性は見出せない。

自分には必ずスキーマというものがあって、それがどんなものであるかを知ること、そして大切な推論場面では、自分のスキーマにとらわれていないかをモニターすることが有効なメタ認知テクニックなのである。

4　他者のサポートを得るテクニック

知識を増やし、推論を豊かにし、メタ認知のテクニックも知ったところで、それを個人レベルのものにしないで、他者を有効に利用し、他者のサポートを得るテクニックを紹介してみたい。

共感能力を高める

共感は、アメリカで現在もっとも人気のある精神分析理論である自己心理学においても、あるいはEQの理論においても、もっとも重視されている概念である。他者との共感能力を高めることが、取りも直さず対人関係を円滑にし、豊かなものにするのだ。

共感には、さまざまな定義があるが、同情とは違うものだとされることが多い。同情も共感も相手の感情状態を自分も同様に体験するのであるが、同情は、一般的には相手が悲しんでいるとか、苦しんでいるとかの否定的な感情をもっている場合に限られる。また、相手がそれをどう感じているかは関係なく、自分の感情状態を指し示す、一方向的な概念である。

共感はもう少し、広い意味に用いる。たとえば、相手が悲しんでいる時に自分も悲しくなるのは同情でも共感でもあるが、相手が喜んでいる時に、自分も嬉しくなるとすれば、これは共感といっても、同情とはいわない。

自己心理学の祖、コフートがこの共感に目をつけたのは、観察手段としてである。相手の心理状態や主観的世界は、この共感によってしか観察できないのだ。ここでの観察とは、相手の立場に身をおいてみて、自分だったらどのような心の体験をするかを想像することをいう。

たとえば、口うるさい、がみがみと人の粗《あら》ばかり探す女性スタッフがいたとして、その人の背景情報を知った上で、その立場に自分の身をおいてみる。夫がぜんぜん家に帰らない人で、息子や娘も年頃になってその人を煙たがっている。会社ではうるさいおばさん扱いされていて、男性が話しかけてくることはなくなってきたし、女性社員からもあんなふうにはなりたくないとばかにされている。そのような背景情報をつかんだ上で、部下のちょっとしたミスをみつけたときの彼女の立場に身をおいて、彼女の心の世界を想像してみる。いつもばかにされているので多少なりとも自分が偉そうにできる場をみつけたと嬉しく感じるかもしれないし、ふだん鬱屈している怒りの感情がわき出すかもしれない、あるいはやっと若い人と話すきっかけができたが、他に話しかける方法がないのでがみがみいうのかもしれない。

こういう想像は、相手が同じ人間である以上、多少なりとあたっているはずだというのがコフートの基本理念である。治療の場面であれば、その想像を伝えることであたっているかどうかの確認ができる。そしてあたっていた場合に、患者はわかってもらえたと感じて少しずつ精神の安定や成長を勝ち得ていくのだ。

オフィスでこのような想像をすると、それによって、その女性が口うるさいのにも腹が立たなくなってくるだろうし、もう少しこちら側が自然に接してあげることを通じて、相手の態度やぎすぎすした感情も和らいでくるかもしれない。はっきりと「お寂しいんでしょうね」と口に出すことは難しいだろうが、社員食堂で一人で食事をしているところに、隣に座ってあげるだけで、やたらに人懐っこくなったり、社内の情報をぺらぺらと教えてくれるかもしれないのだ。

いずれにせよ、共感も日頃のトレーニング次第で身につけやすい能力である。そのためには日頃から、特に対人関係がからむシチュエーションで、自分の立場や主観でものを感じたり、考えたりするのでなく、相手の立場に身をおいてみて、考えたり、感情を想像したりする。そういう体験を積み重ねていくだけで、人の気持ちがわかる人に徐々になっていくものだ。ついでに、自分の思考パターンのバリエーションも増えていくので一挙両得のトレーニングなのである。日常の対人関係がうまくいくようになるだけでなく、商談の際などに相手の立場でものを考えることによって、相手の弱点や落しどころがみえてくることもあるだろう。それによって、交渉能力や説得能力もハイレベルなものになってくるのだ。

人が他者に求める三つのニーズ

コフートは、患者が、治療者が自らの自己愛を満たしてくれる対象（これをコフートは自己対象と呼んだ）であると感じている時に、精神的に徐々に健康になっていくし、治療者をより大切なものと感じるようになるとしている。コフートは治療者や親にはこの自己愛を満たしてやる三つの自己対象機能があると考えた。

一つ目の自己対象機能は、鏡自己対象機能である。これは、患者や子どもが何かをやってきた時に、治療者や親がほめてあげる、注目してあげることで自己愛が満たされるという治療者や母親の機能である。部下や同僚などの成功を素直にほめたり、あるいはいっしょになって喜んであげれば、相手の自己愛は満たされ、その人のことを好きになる。当然すぎることかもしれないが、これは対人関係の重要なテクニックだ。あるいは、恋人が髪型や化粧を変えてきた時に、それをほめたり、気づいてあげたりすることで、相手を満足させるというのも、この鏡機能が働くからである。

最近の研究では、叱るしつけよりほめるしつけのほうが、子どもの知的機能の発達を促進させることもわかっている。たえず、相手に注目してやり、相手のほめるべき点をほめるテクニックを身につければ、相手に好かれるだけでなく、相手のことも発達させることができるのである。

二つ目の自己対象機能は、理想化自己対象機能である。人間というものは常にほめてもらうため、注目してもらうために張りきって行動できるものではない。あるいは、ほめてもらおう、注目してもらおうと行動したのに、思ったような反応が得られずに、不安になったり落ち込んだりすることもあるだろう。たとえば、よちよち歩きができるようになった子どもに母親が「すごい、すごい」といってあげなければ、その子どもは落ち込むだろうし、不安になるだろう。あるいは、いじめられて落ち込んで、もう学校に行きたくないと思っていることもあるだろう。こんな際に、父親が自分からみて神様のようにみえていれば、「大丈夫」の一言をかけてもらったり、ひざの上にのせてもらうだけで、安心感も得られるし、自分が強くなったような気になれる。また父親のようになりたいということで、再び生きる方向性が与えられる。

そして、人間というのは、不安な時や落ち込んでいる時に、こんなふうに神様をもちたがるものなのだ。コフートはこのような形で、親や治療者が相手の神様役を引き受けて、相手に安心感や生きる方向性を与えてあげる機能を理想化自己対象機能と呼んだ。一般の人間関係にも、これは応用できるだろう。特に相手が不安な時や落ち込んでいる時に、恋人や部下の神様役を積極的に引き受けてあげることができれば、相手に安心感を与え、そのことで相手の尊敬を余計に引き出すことができるものなのだ。

最後は双子自己対象機能である。テクニックとして、治療者が相手をほめてやろうとしても、患者は「どうせ先生はお世辞をいっているだけなんでしょ」と反応したり、または神様を引き受けてやろうとしても、かえって治療者に対して羨望や僻《ひが》みを感じるだけのことがある。これは、なぜ起こるかというと、患者が治療者のことを同じ人間だと感じられないからであるとコフートは考えた。ここで治療者が、「私も若い時には、そういうことがあったよ」とか「患者を治せない治療者もみじめなものです」などといって、患者と同じ人間なのだとわからせることで治療を進める方法がある。これも日常の人間関係で使えるテクニックである。

たとえば、前述の口うるさい年配の女性社員の場合も、「どうせ自分なんか」という形で、自分が同僚たちと同じ人間なのだという感覚を失いかけているから、非適応的な言動をとって、問題児となっているのかもしれない。時々、こちらから話しかけてあげて、同じ人間だという感覚をもたせてあげるだけで、相手の態度も変わり、職場の人間関係が円滑にいくことだって十分考えられる。

コフートにいわせると、この三つの自己対象機能は、人間が人に求める基本的ニーズである。人間は、この三つのニーズが満たされないと不愉快になるし、攻撃的にもなる。逆に、この三つのニーズを満たしてくれる人のことは好きになるし、相手を手放したくない気持ちが強くなるものだ。周囲の人間と上手な相互依存関係を築いていくためには、この人間の三つのニーズを知って、まず自分のほうから相手に心理的に依存させてあげることが賢明な生き方といえるだろう。

信頼できる相手には本音で接する

さて、フロイト以来の古典的な精神分析のモデルでは、精神分析家は外科医のようなもので、自分の感情はみせずに、冷静に患者の心の中を解釈することで、不安や非適応な心の機能を解決してあげようというものであった。しかし六〇～七〇年代以降は、精神分析家は心理的に患者の親となってやり、心の育て直しをしてやるというコフートやドナルド・ウィニコットのモデルが主流となっていった。さらに最近は、治療者の主観世界をみせてやらないと、相手にも主観的な世界があるのはわからないし、かえって患者の共感能力は育たないという主張が強まってきた。このモデルはまさに、治療者と患者は親子というより、相手のためを思って親身に話を聞いてあげる親友のモデルである。

治療者が自分の主観的な世界をみせることは、自己開示と呼ばれるが、平たくいうと、自分の本音をみせるということである。

実際、精神分析家は患者の心の中や心の動きが読めるとされているが、それは患者があまり隠しごとをしないで本音を伝えてくれるという前提があっての話である。通常は、患者は自分の悩みや人間関係などについては、本当のことを話してくれるのだが、ここで本音を隠していたり、嘘をつかれたりすると、精神分析家といえどもそう簡単に見破れるものではない。逆に、通常の人以上に本音ばかりを聞かされている分、嘘を疑う能力が弱いくらいかもしれない。

しかし、人間というのは一般に本音で接してこられると、自分もつい本音をもらしたくなるものである。思春期に親友ができるのも、親にいえない秘密（マスターベーションや初キスなど）ができた際に、それを打ち明けるからだとされている。秘密を打ち明けられた相手は、自分も秘密を打ち明けるようになり、かくして深い人間関係ができるのだ。ここで、秘密を打ち明けるのをためらっていては深い人間関係を作ることはできない。

犯罪でも犯していない限り、人間、秘密を知られてもそう損をすることはない。自分が強欲であることがばれても、すけべであることがばれても、それが本音のコミュニケーションであれば、相手が離れていくことはそうないものだ。むしろ隠しておくほうが心の健康に悪いし、深い人間関係も作れず、他人に上手に頼ることができなくなるのだ。

もちろん私は誰彼かまわず秘密を話せといっているのではない。そうではなく、特定の親友に秘密や本音を語り、わかってもらえるだけで、頼りになる深い人間関係を作りやすくなるし、また一人で悩んでいるよりも心の健康によいといいたいのだ。

信用できる奴と思える人間が現われたら、本音で話す。ごく当たり前のようだが、これは深くて頼りになる人間関係を作るための最強のテクニックかもしれない。

以上、知識を増やし、推論を豊かにし、メタ認知能力をつけ、対人関係をよくするテクニックをピックアップしてみた。しかし、本当に大切なのは、これらのテクニックについての知識ではなく、実践である。試してみないことには、テクニックは身につかないし、自分流の生き方を修正するのも難しい。頭がいい人というのは、実は行動的だということは肝に銘じておいて損はないということを最後に伝えておこう。

第**3**章

能率を上げる勉強術

初めて実施された介護支援専門員の実務研修試験（1998年9月）。多くの受験者が殺到した。

さて、前章まででは、現在求められている頭のよさとは何かを検討し、その頭のよさを身につける方法を述べてみた。この章では、もう少し具体的に、要領のよい大人の勉強法を提案してみたい。

これまで述べてきたように、知識というのは断片的なものだけでなく、さまざまな経験知やスキーマ、あるいは技術も含むものである。ノウハウ（know-how）ということばがあるように、やり方を知るというのは、成功への重要な鍵となる。

私が最近の受験生をみて感じることは、やり方を学ぶという姿勢が年々薄れてきているということだ。正直に打ち明けると、私の主宰する受験勉強法の通信教育の合格実績は年々よくなっているのに、私の受験勉強法の本の売れ行きは以前ほど（以前が売れすぎだったのかもしれないが）芳しくない。他の勉強法の本の売上も似たようなものであるようだ。これは、今の子どもたちの勉強離れとパラレルなものかもしれないし、あるいは子どもたちが最初から自分の能力に見切りをつけて、勉強法を学ぶ気になれないからかもしれない。

しかし、私は現在の学力低下の最良の処方箋は教え方と学び方の工夫にあると考えている。前述のように、わかる体験や成績が上がる体験をしないと勉強への動機を維持できないし、関心もわかないため勉強したことも記憶に残りにくくなるからだ。そのためには、少しでもわかりやすい授業と、成績の上がりやすい学び方を知っておく必要がある。

これは、大人の勉強についてもあてはまることだろう。ただ、大人のほうが社会経験を積んでいる分だけ、要領のよいやり方を学ぶ、勉強法を勉強することに抵抗がないのではないだろうか。

ここでは、主に私の経験や受験技術の応用をふまえ、すぐに使える勉強のテクニックを紹介していきたい。ただし、前章で紹介した頭のよくなるテクニックは、ある程度理論的背景もあるものだし、一部のものについては心理実験で有効性が確認されている。しかし、本章で紹介するものに限らず、多くの著者が書く勉強法や整理法は、何人かの人を取材する場合はあっても、原則的に成功者の体験を普遍化して紹介したものである。有効性についての科学的検証はされていないし、個人によって合う合わないの違いがあるということを断っておきたい。

そこで必要なのは、自分にふさわしい勉強法を探すために、成功者の体験を聞いたり、著作などを通じていろいろと勉強法を学んで、それを実際に試してみる態度である。それにより、今までのやり方より能率が上がれば、少なくともあなたにとっては有効な勉強法ということになるのである。

1　時間のやりくり術

睡眠時間を削るのはマイナス

大人の勉強において多くの人の最大の関心事は、時間の使い方にあるようだ。実際、社会人をやりながら、何らかの勉強を始めようという場合、一般の学生などと比べてはるかに時間的なハンディキャップを負うことになる。限られた時間をどうやりくりするかで、現在行っている勉強の成否が決まるといっていいくらいだ。

手前味噌になるが、私自身、精神科医でありながら、三つの学校の非常勤講師をつとめ、相当量の文筆業をこなし、時々英文を含めて学術論文も書きつづけ、さらに小なりといえ受験産業を主宰し、子育てもしているわけだから、いったいどこにそんな時間があるのかを問われることが多い。

一つ確実にいえることは、時間は物理的に増やすことができないということだ。一日は、どう転んでも二十四時間しかないし、一週間は七日しかない。そして、私が精神科医として、一つ指摘しておきたいのは、睡眠時間を削ることの弊害だ。睡眠不足は、うつや不安神経症を誘発するし、大体単位時間あたりの能率を落とすので、かえって勉強の邪魔になる。私もどんなに忙しい時でも、七時間は睡眠をとっている（これについては個人差はあるが）。

その限られた時間の中で、時間を有効に使う方法は、そうたくさんはない。

「無駄な時間」をどこまで減らせるか

一つは、無駄な時間をなくすことだ。何をもって無駄な時間というかは難しいところだが、自分が現在勉強したり必要としていることにとって、役に立たない時間、と定義したい。たとえば、睡眠は、これを削ると勉強の能率が落ちるので、役に立つ時間ということになる。前述のように、私があまり禁欲的な勉強を勧めないのも、同じ理由による。勉強の入力段階においては、他に気になることがあると能率が落ちるので、たまに恋人とデートしたり、テレビドラマをみたりすることは、必ずしも役に立たない時間ではない。しかし、それほど興味もないのにのんべんだらりとテレビをみていたり、また、毎日のように恋人と長電話したりして、勉強に支障が出るようであれば、それは当然、無駄な時間と定義される。

するとと、時間には優先順位がつけられることになる。優先順位の一位になるのは、実は、生きるために必要な時間である。勉強をするために、睡眠時間や食事の時間を削ることはできない。また生活の糧を得るための会社の勤務を辞めることはできないだろう。

しかし、これらの時間も多少は削ることはできる。たとえば、睡眠時間の場合、ドラスティックに削るべきではないが、たとえば三十分減らしてみて、勉強の能率が落ちないかを知るということはできるだろう。夜の睡眠時間を一時間減らして、帰宅後三十分仮眠をとったほうが調子がいいということもある。こういうことは試してみないとわからない。自分の体に合った形で、ベストな睡眠時間を知るというのも時間を作るテクニックなのだ。

食事の時間や勤務時間についても同様だ。毎日だと嫌になるかもしれないが、週のうち三、四日くらいは早く食べられる夕食を選択する。それがそばであったり、テイクアウト寿司であったり、ハンバーガーだったりするだろうが、これで一日十分や二十分は浮く。ここで注意したいのは栄養だ。人間の脳に絶対に必要な栄養分は、ブドウ糖とビタミンB群である。これを欠かさないように栄養のバランスに気をつけたい。

勤務時間については、なかなか思うようにいかないだろうが、勉強を優先するのであれば(たとえば資格試験の受験前など)、職場とかけあって残業はしないとか、自分の勉強の能率に合わせたフレックス勤務が可能なら、それを選ぶに越したことはない。

優先順位の二位は、もちろん勉強時間である。そして、次が勉強の能率維持のための時間だ。これは休養や娯楽、あるいは自分へのご褒美の時間である。たとえば、予定通り勉強が進んだ週の日曜日の午後は、デートや自分の好きなもの（たとえば映画やゲーム）にあてるというご褒美を用意しておいたほうがかえって勉強の能率は上がるものだ。

通勤や風呂、トイレ、ベッドに入ってから寝つくまでの時間などの使い方も大事なポイントだ。通勤中に本を読むというのは、古典的な方法だが、きちんと集中できるのなら悪くはない。発想を転換して通勤時間を娯楽にあてるという手もある。みたいテレビをビデオウォークマンに録画して通勤中に楽しむなどというやり方だ。通勤をゲームの時間にあてるという手もある。しかし、通勤中の娯楽が勉強の能率を上げず、やはり家でもテレビをみたい、ゲームがしたいなどという場合は、むしろ通勤中に本を読んだり前日の復習をするほうが賢明だ。

トイレや風呂の時間については手際よく済ませるか、あるいはゆっくり時間をとって、本を読んだり娯楽にあてる。これも個人差があるので、自分に合わせればよい。ベッドに入ってから寝つくまでの時間は、今苦手としていること、面白くないと感じている勉強をすることだ。そうすると無意識の抵抗現象が起こって眠気が誘われる。人間は自分に入力したくない情報に出会うと眠気が生じるのだ。眠れなかったとしても、ふだん進まない読みものが進むのだから儲けものと考えればよい。

そして優先順位の最後に来るのが、のんべんだらりとテレビをみる時間、ごろごろしている時間、いわゆる無駄な時間である。休息になっていないのなら、こういう時間だけは減らすように努めたい。

ただし、よほどせっぱつまった資格試験の受験勉強などを除いて、あまり息がつまるような勉強生活は、実際は勧めない。大人の勉強の場合は、関心や興味をもちつづけられることが条件になるからだ。そうでないと入力もうまくいかないし、長続きもしない。自分のライフスタイルをまず優先して、私の時間作りのアイディアはヒント程度にとどめてもらえると幸いである。

単位時間の効率を上げる

もう一つの時間作りのテクニックは、単位時間あたりの効率を上げることだ。私が受験生に対して暗記数学を提唱したのも、単位時間あたりに入力できる問題の解法パターンが自力で解くよりはるかに多いためである。単位時間あたりの勉強の効率を上げるテクニックは、前章の知識を増やすテクニックを参照してほしい。そのポイントは、興味・関心をもつこと、わからないことはなるべく早めに解説書を読んだり、人に聞いたりして理解に努めること、適度に復習をして、これまでに勉強した時間を無駄にしないこと、(特に試験勉強の場合は過去問分析などを通じて)入力情報を絞り込んで必要なことのみを勉強することなどである。

時間の優先順位付けや無駄な時間を省くより、単位時間あたりの効率を上げることのほうが実質的にはずっと時間を作ることが可能である。

2 スケジュール管理術

計画の単位は一週間

時間の使い方に触れたところで、スケジュール管理にも少し触れておきたい。

何かしらの勉強をしている際に、どんどん予定が遅れていって、途中で嫌になるということは往々にして経験することだろう。受験日のはっきりしている資格試験に限らず、どんな勉強においても、ある程度は期限をきって、達成目標（たとえばいついつまでにレポートを一つ作る）を決めておかないと、勉強ははかどらず、身につかないことが多い。

私は、原則的に一週間程度の小目標を設定することを勧めている。三カ月で、あるいは半年で○○をしあげるなどというロングスパンの計画は、目標が立てにくい上に、途中で予定が狂うことが多すぎるからだ。一週間ということであれば、仕事をしている人間なら、大体のスケジュールが把握できるから、その中で、勉強に使える時間を割り出すことができる。その上で、本を何ページ読むとか、この項目とこの項目については頭に叩き込む、あるいは資格試験の問題集をどのくらい進めるという具合に、このくらいはできそうだという目安を立てておく。勉強からしばらく離れているために、その目安が立たないという場合には、まずは実際に試してみてペースをつかむとよい。

週末は借金返済と復習にあてる

ここで大切なのは、土曜日、日曜日の扱いである。勉強が趣味や娯楽になっている場合はよいが、そうでない時は、週に一回は休みをとりたい。そこで私が勧めるのは、月曜日から金曜日までにできる勉強量を一週間の予定量としておいて、土曜日は借金返済と復習にあてるというものだ。つまり予定通り勉強ができなかった分を土曜日に取り戻すとともに、その一週間にした勉強は土曜日に復習して保持を確実なものにする。これによって、計画は狂わないし、確実に勉強が身についてくるのだ。もちろん、計画が予定通りにいっていれば、土曜日は復習だけでよくなるし、その週が忙しくて大幅に計画が遅れた場合は、土曜日にその借金を返済して、日曜日は遊ぶのを我慢して復習にあてることになる。時々であれば休みがつぶれてもそう痛みやストレスは残らないだろう。

大人の勉強の場合、平日は忙しすぎて勉強ができないので、土日に勉強をしたいという場合もあるだろう。

資格試験の勉強の場合は、なるべくこの形は避けたい。一週間のうちに忘れていることも多くなるし、土曜日の勉強のとっつきが悪くなるからだ。やむをえずそうする場合は、毎日三十分でも十五分でもいいから、平日に土日の勉強のメインテナンスの時間をとるように心がけたい。

勉強を教養目的や趣味としてやる場合は、もちろん、土日集中のやり方でもよい。しかし、この場合も勉強を不連続なものにしないで、記憶に残すために、先週の勉強の復習は忘れないようにしたい。

逆に専業主婦のように、時間にかなり余裕があったりすると、かえってスケジュールが立てにくいということもあるだろう。宅建の試験のように短期集中型の勉強で取れる資格を除けば、一日の勉強は三時間程度までにとどめておくほうが賢明だ。そして、一コマ九十分と決めておくとよい。大学の講義やスタンダードの映画の上映時間や試験時間が九十分であることでもわかるように、このあたりが人間の集中の限界の目安だからだ。その場合は、午前中に一コマ、午後に一コマと割り振って余裕をもって勉強を進めるとよい。ただし、土日の使い方は前述と同様に土曜日を借金返済と復習にあてることを勧めたい。土曜日に勉強をしていると夫がうるさいというケースでは、金曜日を借金返済日にあてるという変法も可能だろう。

ついでにいうと、勉強に限らず、賢いスケジュール管理の秘訣は、時間の優先順位付けにある。勤務時間の中でも重要な時間と、やりすごせる時間のメリハリをつけられれば、職場でのストレスや疲れは大幅に軽減するはずだし、仕事自体の能率も上がることだろう。

ろう。

3　情報整理術

カテゴリー別段ボール方式

日本の場合、住宅事情の悪さも手伝って、情報の整理に頭を悩ませている人も少なくないだろう。

もちろん、パソコンの出現は情報整理を大幅に容易なものにした。新聞の切り抜きはインターネットの使用によって事実上不用になったし、週刊誌などの短い記事の切り抜きは項目別にフォルダを作って、スキャナーで取り込めばよくなった。ただし、ざっと目を通すには、旧来のスクラップブックのほうが、はるかにやりやすいという人も少なくないだろうから、これは個人の好みに合わせたほうがよいだろう。また、今でもスキャナーの情報取り込み時間はけっして早くないので、スクラップブックのほうが時間の節約になる場合もある。

私の個人的経験からいうと、情報整理の中でもっとも時間の無駄を生むのは、どこにその情報をしまい込んだかを忘れたり、その情報をなくしてしまったりする（往々にして後から出てくるのだが）場合である。偉そうにいう私も、論文や著書の執筆中に時々このような失態をやらかして、莫大な時間を無駄にする。そのために思考がとぎれてしまうことも考えると、そのロスはきわめて大きい。だから、そのたびに反省して、原則的に心がけている整理法に戻ることにしている。そして一冊の本を書き終えたら、その整理法にもとづいて部屋の整理と掃除をするのに、一日かけるのである。

私の整理法は、情報をカテゴリーごとに大型の紙袋か段ボール箱に入れていくというものである。それと家の外で読む資料は書籍に限って、原則的にそれ以外の資料は部屋の外に持ち出さないということだ。この段ボールを探せば大丈夫という安心感は、仕事に大きな余裕を与える。外からみると見栄えが悪いが、仕事の上の便利さには替えられない。別に各々の箱や袋にタイトルはつけていないが、その中の資料を一つ取り出せば、何の資料かがわかるので、これも不自由がない。

資料の整理にあたって、よく問題にされるのは、捨てるかどうかである。資料を上手に捨てることができる人間が情報管理や情報整理のうまい人であるという主張をする人もいるが、少なくとも私はこれにあてはまらない。資料が捨てられないのだ。心理学や精神医学をやっていると、古典が意外に価値をもつので、新しい情報だけではだめという側面もあるが、おそらくはこれは私の性格によるものだろう。

安心して仕事に取り組めることが第一義

私は自分の整理術のほうが正しいと思って紹介しているのではない。そうではなくて、世間であまり好ましくないといわれることをやっていても、情報の整理は可能だということをいいたいのだ。

ここで私が大切にしたいのは、不安の解消である。いくらインターネットが自由に使えたとしても、結局のところ、論文やレポートの筋道は自分の頭の中で作るものだ。参考文献は補強材料にすぎない。しかし、適切なところでそれが使えないと、論文がただの作文になってしまうこともある。ここで必要なのは、確実に参考文献がみつかる安心感なのである。私の情報整理術はいささか精神科的であって、不安やストレスを少なくし、安心して仕事に取り組めることを第一義に考えている。こういうものは、個人によって違うだろうから、他の著者の整理法も参考にしながら、自分に合ったスタイルを探せばよいだろう。

本題に戻るが、そういう点でも、情報を何でもパソコンに入れたり、インターネットに頼ったりするのがより優れた先進的なやり方だとは限らない。そのほうがみた目はきれいだし、部屋のスペースは広がるが、問題は自分にとっての使い勝手であり、どちらが能率がよく、時間がかからないかである。少なくとも現行のパソコンの処理速度をみる限り、紙情報のほうがいろいろな点で早いのも確かである。これについても、自分で試してみて、どちらが使い勝手がよいかを実験したほうが賢明なようだ。

寝る前に机を片付けない

以上が情報の整理についての私の見解であるが、資料を具体的にどのように利用するかについても少し触れておこう。

私の場合、文書作成に必要な資料はなるべく、手が届き、目にみえるところにおくようにしている。つまり、ある文書を作る際にはあらかじめ必要な資料を箱から出しておき、パソコンデスクの両脇にある机の上においたり、それでも足りない時は床においたりしている。そして、それが終われば、またもとの場所に戻して、次の資料を同じように机や床に並べるのだ。このやり方が私に合っているのは一度に多くの情報に目を通すことができるからだ。現行のパソコンではこれが難しい。

もう一つのテクニックは、仕事が終わるまで、多少見栄えが悪くても（実際、床の上にも資料がおいてあるからかなり汚らしい）、机の上をそのままにしておくことだ。これは私が受験生の頃から続けていることであるが、寝る前にいちいち片付けていては、前日の勉強からの心理的な連続性が失われて、翌日の勉強の立ち上げに時間がかかってしまうからだ。これは私が受験勉強の時（医師国家試験の受験も含む）にもとった方法なので、仕事のためだけでなく、資格試験の勉強などにも有用なものと信じている。

4 ノート術・読書術

一心不乱にノートをとる

メモやノートのとり方というのも、大人の勉強では重要なポイントだろう。

私は、原則的にセミナーを受ける際などでは、メモ帳は用いず、最低でもB5のレポート用紙を使っている。そして講師の話す内容を一心不乱に書き写す。

要点だけをまとめてメモをとればいいという考えもあるが、よほど自分の知っているジャンルの話でない限り、そう簡単にその場で要点をまとめることはできないからだ。そして、読み返す際にも、要点だけのメモだと、よほど理解している話でない限り、何のことが書いてあるのかがわからなくなる箇所が多くなる。話の内容を書き写し、雑談や枝葉の情報がついていると、はるかに理解しやすくなるし、印象にも残る。理解が記憶を促進するのだから、要点集より厚くても理解の進む本のほうがよく覚えられるというのは、受験生が往々にして体験することである。ちなみに最近の受験参考書の売れ筋は、この手の予備校講師の講演録ふうの参考書である。

それなら、テープをとればいいという考えもあるだろうが、書き写しているうちに覚えることも多くなるし、どうせその講演時間中は拘束されているのであるから、書き写すことは時間の無駄を生まない。またテープであれば、復習に講演時間と同じだけの時間が必要となるが、ノートだとはるかに短い時間で済む。私の場合は、英語による講演の際だけはディクテーションに自信がないので、テープをとって車の中で聞くようにしている。

一対一の取材のようにわからないことを聞き返せる場合や、後でレジュメなどをもらえる場合にはメモも有用である。私も取材される側の立場からいわせてもらうと、一心不乱にノートをとってくれる姿をみると、自己愛が満たされるようで、よりいろいろなことをしゃべってあげたくなるものだ。対話が困難にならない限りは、なるべく多くのメモをとるほうが、賢明な取材活動といえるだろう。

何でも一冊のメモに書き込む

取材や研究活動に限らず、私は日常生活全般においてメモ魔である。週刊誌を読んでうまいラーメン屋の記事が出ていたら、電話番号をメモするし、読まなければいけないと思える著作のタイトルや、突然思いついた本の企画やエッセイのテーマ、商売になりそうなアイディアなど思いついたことを何でもメモしている。この手のメモで大切な点は、それをなくさないことと、メモした項目をすぐに参照できるようにすることだ。だから、私はすべてを一冊のメモに書き込む。しかも、これは常に持ち歩けるようにシャツのポケットに入るサイズのものだ。これはスケジュールノートも兼ねている。膨大な量になりそうだが、日常生活のチェックポイントはそう多くないようで、一年で一冊で済んでいる。

必要箇所だけのつまみ食い読書

相手が講師のしゃべりことばでなく、著作物の場合はどうだろう。本の場合は、もちろん読みながらメモやノートをとってもよいが、それはけっこう手間のかかることである。私は自分の知識にしたい部分（つまり将来引用する可能性のある部分）には、確実に大きめの付箋を貼る。そして付箋には、なぜそれを貼ったかを記しておく。ここまでは、最近では比較的誰でもやる作業だろう。さらに私は、本の内容で、強く賛成できるところ、議論が不満なところ、理解が困難なところにもはっきりとそういう感想を書き込んだ上で付箋を貼ることにしている。これによって、本が自分にとってただの情報源からパーソナルなものになるからだ（前章で触れたように、この読書法は東大の苅谷教授も勧めている）。

私がアメリカで身につけた読書法に、つまみ食い読みがある。留学前は、自分の強迫性格も手伝って、本というのはたとえ飛ばし読みであっても最初から最後まで読まないと気が済まなかった。留学先の精神医学校では、その講師たちが本の必要部分をピックアップして、どこからどこまで読んでこいと指定する。週六コマの講義をとっていたため、トータルでは毎週二～三〇〇ページは読むことになる。英語であるので飛ばし読みも難しいため、さすがにもとの本を一冊読む（これだと週五～六冊以上読まなければいけないことになる）のを諦め、与えられた範囲だけ読むようにした。しかし、それだけでも著者のいいたいことはかなりわかるし、十分な知識が得られることがわかった。

帰国してからは、日本語の本についても、目次を読んで、面白そうなところ、役に立ちそうなところだけを飛ばし読みしないで読むようにしたところ、情報収集量や、参考文献の数を飛躍的に増やすことができるようになった。一冊の本をどれだけ理解できているかわからない形で速読するより、一部分でも大事なところを熟読するほうが、知識として頭に残るものが大きいと私は信じている。ある程度理解したジャンルについては、いろいろな著者の本の必要箇所だけをつまみ食い的に読んだほうが、知識の幅が広がるし、多くの推論パターンにも接することができるのである（もちろん、まだ理解が十分でないジャンルについては危険なのでやめたほうがよいだろう）。

5 文章術・プレゼンテーション術

私は国語の落ちこぼれだった

本書の読者の中には、資格試験の受験を目指す人以外では、頭がよくなりたい、仕事ができるようになりたいという動機の人も少なくないだろう。頭がよいという場合、本書で紹介したような認知心理学的な意味の頭のよさより、すばらしいレポートを書く人や、ディベートやプレゼンテーションの上手な人になるというイメージのほうが強いのではないだろうか？　そして、この手の能力は、かなりこれまでの教育や読書量、生まれつきの才能などに規定されるものなので、なかなか自分にはまねができないと考えている人も少なくないだろう。

実際のところ、レポートや論文の達人、あるいはプレゼンテーションの名人と感じさせる人もいないわけではないが、そう多いわけではない。しかし、上司や周囲の人間からみて仕事ができると思われるレベルの文章を書いたり、プレゼンテーションができるようになるのは、そう難しいことではない。

文章がうまくなるいちばん手っ取り早い方法は、型にはまった文章をたくさん書くことである。型にはまった文章はつまらないと思うかもしれないが、これ以外の方法で、人にわかりやすい文書を作成するのは意外に難しい。また、それ以外のトレーニング法はほとんどない。実際のところ、小説を書いているわけではないので、文章のスタイルにこだわることにもあまり意味がない。

外国の大学に留学してきた人たちに聞く限り、日本の国語教育と英米圏の国語教育との最大の差は、文章の読み書きのトレーニングであるという。日本の国語教育では、小説文などの心情読解に重点がおかれ、自分の心情を情緒的に伝える文章が喜ばれるが、英米圏では、論説文を読むことが基本とされ、型にはまったレポートを書く教育を徹底されるとのことだ。これが伝統的なものなのか、それともレポートが書けない大学生が激増した際に取り入れられたメソッドなのかは知らないが、現在の日本の大学生たちのレポート能力をみる限り見習うべき点は多い。

実は、私は日本の高校の国語教育の中では、落ちこぼれだった。東大受験の際の国語の目標点は八〇点満点の四点、つまり漢字だけで点をとろうというくらいで、数学と理科に頼って東大の理科III類を受験した（これは非現実的な話ではない。当時から四四〇点満点で二九〇点あれば合格できたのだから）。実際、東大型の模試では国語が一一点ということもあったのだ。しかし、現在、手前味噌でおこがましいが、文章がうまいといわれることはめったにないが、わかりやすい、論旨が明快だという評価をいただくことは珍しくない。少なくとも国語の成績が高校三年生になってもそんなにひどかったとはなかなか信じてもらえない。

これはひとえに国語ができない分、わかりやすい、論旨のはっきりした文を書くことを心がけてきたからであろう。型にはまった文であると、自分のいいたいことを前面に出さないといけないので、論理の整理にもなるし、補強説明を書く際に、必要なことを調べたり、文献を集めたりする習慣もつく。そして書いているうちにどんどんソフィスティケートされていくものなのだ。

「型にはまった文章」を書くことに慣れる

ここでいう型にはまった文というのは、最初に問題提起をし、次の段落ではその問題提起に対する自分の意見を述べる。問題提起がWhat（〜とは何だろうか？）の形であれば、その答えを書くし、YES、NOを問う文章であれば、その立場をはっきりさせる。その次の段落では、第二段で述べた意見の補強説明を行う。自分の知識や参考文献からの引用はここに載せる。最後に、それまでに述べたことをまとめて、明快で簡潔な結論を述べるという形式の文章である。字数にすれば八〇〇字くらいを目安にするとよいが、慣れるまでは字数にこだわる必要はない。

ふつう文章を書く際にはこれらのことを意識しないことが多い。しかしそうすると、文章がのんべんだらりとしたものになりがちである。

報告書などを書く際には、言い古されているようだが、5W1H（いつ、どこで、誰が、何を、なぜ、どのように）をなるべく書き揃えるようにしたい。このようなことを意識しながら、文章をなるべく多く書いていると、いつのまにか、人からみると読みやすい文章になるし、それ以上に書くのがおっくうでなくなる。

美麗な文章を目指していると、結局、文章を書くのを尻込みすることになって、いつまでたってもろくに書けるようにならない。もう一つ、あまり指摘されないが大切なポイントは、必ず文章にタイトルをつけるくせをつけることだ。タイトルは、仮のものでよいので、文章を書き始める前に決めておくほうがよい。タイトルを意識したほうが、書いていく時の論旨が明確になる。書き終えたところで、そのタイトルが適切であるか再検討するが、それにより、自分の文章の論旨が明確かどうかのモニターができる。

まず型を押さえるのがポイントであるとわかれば、トレーニングに最適なのは大学受験用の小論文のテキストである。受験のプロが書いたものは、大人向けのハイレベルな文章読本などより、はるかに実用的だし、親切である。何でもよいので、立ち読みをして自分が気に入ったものを買うのがいちばんだ。

当たり前すぎるようだが、文章はパソコンかワープロを使って書くことだ。実際、パソコンを買うのは、文章作成とインターネットのためだけでも十分な投資価値があるくらいだ。これは文章のスタイルを自由に変えられて、きれいにみせる効果があるだけでなく、いくらでも書き換えがきくことで、文書を作るのがおっくうでなくなるという効果もある。

私自身、本書のような文章を書く際に、途中で思い浮かんだことがあれば自由に挿入し、順序を入れ替えたほうがわかりやすいと思えばすぐに、切り取り貼りつけを頻繁に行っている。

仕事上のレベルでの文書のうまい下手はほとんどの場合は慣れが規定するのだ。

プレゼンテーションも練習次第

プレゼンテーションや面接の技術についても簡単に触れておこう。

プレゼンテーションの原則も文章作成と同じである。基本的には、型にはまったプレゼンテーションの練習を繰り返すことだ。まず先に問題提起をするか、いきなり結論を述べるかして、次に背景情報や解説を述べる。最後に結論を話せばよい。意外に簡単なことなのだが、実際に練習してみる人は少ないようだ。ちょっと練習してみるだけではるかに人への説得力が増す。

プレゼンテーションを行うにあたって常に意識しておくべきなのは、聞く側が、紙に書いてあるものであればわからなくなったら読み返せばいいのだが、口頭発表の場合はそれができないということである。だから、結論は早めにはっきりいって、いいたいことを相手につかませてあげるほうがよい。そうでないと背景説明を聞いていても何の話かわからなくなってしまう。もう一つ注意しておきたいのは、文章の場合、長いのを書くのがおっくうな人でも、話しことばだとつい冗長になってしまうことだ。日常会話と異なり、プレゼンテーションの場合は、簡潔に話せる能力も問われることが多い。学会発表の場合、通常七分で、時間通りに話すのは、場数をこなした研究者にとってもかなりやっかいなものである。一般の人のプレゼンテーションも、慣れるまでは、五分なら五分で時間をきって話すトレーニングをしておくとよい。五分が長く感じる人は三分でもいいくらいだ。

面接ではまず自分の意見をはっきりと

面接に際しても、相手に好印象を与え、知的レベルが高い印象を与えることが勝負なのだから、基本の原則はプレゼンテーションの場合と同様である。もちろん、マスコミ入社のように競争率が非常に高く、ある程度の個性を問われる場合には、第2章で述べたような複眼思考や推論のトレーニングを怠らず、さまざまなニュースについていろいろな可能性を考えられるようにしておくと、個性的な人物にみせることができるだろう。

もう一つの面接のポイントは質問に対する明快な答えだ。これについても、まずは自分の意見をはっきりいうことが先決である。そして、わからないことをごまかそうとするより、はっきりとわからないと答えた上で、「それが大切なことだとわかったので、これからきちんと勉強します」ということばを重ねると意欲を感じさせることになる。

最後にいっておきたいのは、ビジネス文書であれ、プレゼンテーションであれ、面接であれ、相手の立場で自分のものを評価する視点をもつことだ。書いている側、しゃべっている側は知っていることでも、相手はそこまでは詳しくないことも多い。少しわかりにくいくらいのほうが高尚でハイレベルな印象を与えるというような考えは誤解もはなはだしい。初めて聞かされて、あるいは読まされて、すっとわかるかどうかを自己モニターする習慣と練習量が、この手の技術を大幅に向上させるのだ。

6　インターネット時代の英語術

これからの主流は読む英語・書く英語

国際化・情報化社会の到来に伴って、これまで以上に、語学力、特に英語力が問われるという主張が強まっている。首相の私的諮問機関である「二十一世紀日本の構想」懇談会の最終報告では、英語を第二公用語にせよという主張があるくらいだ。

しかし、慌てて英会話学校に通う前に一言注意しておきたいことがある。それは、これから当分の間はむしろ書く英語、読む英語が主流になるということだ。

というのは、情報伝達の手段や情報検索の手段がインターネット化すると、じかに会ってのコミュニケーションの頻度が確実に減る。そして国際電話より電子メールのほうが時差の問題もなく、コストもはるかに安いのだから、英語の読み書きのコミュニケーションが会話よりははるかにウエイトが高くなる。情報の検索も英語が読めれば、世界でもっともアップトゥデイトな情報がリアルタイムで入手できる。要するに読み書きができる人間にとっては、国際人になるのに非常に有利な状況になるのだ。

日本人は英語を読めない・書けない

それなら読み書き中心の受験英語を学んできた日本人にはむしろ有利になると喜んでいる人もいるだろう。これはイエスでもあり、ノーともいえる。実際は、人が考えているほど日本人の読み書きの能力は優れていないのだ。幸い私の場合は受験英語でみっちり鍛えられていたので、留学中も読むほうでは困ることはなかった。ただ、医者になってから知ったことだが、偏差値的にはけっして低くない私立の医学部の卒業生たちが意外に英語が読めないのだ。彼らは在学中には東大と比べものにならないくらい厳しい試験のバリアをくぐってきたせいか、解剖学の知識や臨床の知識は私よりはるかに豊富なのだが、英文の論文を読む宿題を課せられると、かなりの時間をかけ、逐語訳を作らないとレポートできないのだ。読むほうは大丈夫と思っている人でも、TIME誌などを読んでみると、思っているほど読めないことはすぐわかる。そのことは自覚しておいたほうがいい。

もっとできないのは、書く英語だ。日本人が英語をしゃべれないのは、ヒアリングや発音が問題であるだけではない（もちろん、これが大きな要素であることは私自身も認めるが）。むしろその場その場で英文が出てこないために、うまく話せないことのほうがはるかに多いはずだ。

これは英文を書く能力とも大いに関係している。

しかし、評判の悪い受験英語をやらされてきた日本人は、聞く話すの英語より、読む書くの英語のほうが確実に潜在能力はある。私自身、三年も留学しながら、話を途中から聞いた場合の（つまり話の筋がわかっていない時の）聞き取りはろくにできなかった。また留学当初はｆの音が発音できずに、コーヒーを頼んでクッキーが出てくる始末で、以後も話しことばの発音は本質的にはあまり改善されていない。一方、読むほうについては、週に三〇〇ページを読む宿題を出されてもどうにかついていけたし、書くほうも、最近になって英文の論文も認められるようになって、アメリカの精神分析の雑誌で Book Reviewer を頼まれるくらいだ。

また受験英語もできなかったという人も、そう嘆く必要はない。実用英語の読み書きに必要とされる英文法はおおむね中学卒業レベルか高一程度のものだからだ。

興味がある分野を徹底的に読む

私の勧めるインターネット時代の英語トレーニング法は、まず徹底的に読みまくることである。読む材料は、自分の興味の対象、自分の職業領域または専門領域、そして読みやすい時事ネタである。もちろん、時間の制約もあるだろうから、このどれか一つで十分である。この三つには共通点がある。それは書かれている内容が大体想像できるだけの背景知識があることだ。

たとえば、自動車オタクの人なら外国の自動車雑誌を読むのがよい。日本語でも知っている内容だから、カンで読めるところも多いだろう。ただし、カンで読んでいて満足してはいけない。カンで読んだ部分が大事なのだ。前後の文脈から英語ではハンドルのことを wheel ということがわかったら、それをメモしておく習慣が書く英語の能力に直結するし、その積み重ねによって次からの英文がかなり読みやすくなる。もちろん「車輪」（受験英語をしっかりやってきた人やホィールベースということばからこちらを連想する人のほうが多いだろう）と思って読んでいて、どうしてもおかしいと思えば素直に辞書を引く姿勢も大切だ。

それ以上に大切なのは、フレーズ単位、文章単位で面白いと思った表現は必ずメモをしてなるべく覚えることである。これが書く英語の時に大きくモノをいう。最近では、雑誌でなくてもインターネットで検索できる自動車関係の記事や、外国の自動車会社のホームページなど読むネタには事欠かない。自動車に限らず、興味のあることについて毎日一時間でも英語のインターネット検索をしていれば、読む能力や書く表現力は飛躍的に向上するはずだ。

次は自分の職業領域、専門領域についての読書だ。ビジネス英語の場合、自分の専門領域、職業領域のテクニカルタームや頻出表現を押さえておくことが必須だ。自分のテリトリーの英文の専門雑誌あるいは専門領域のポピュラーな教科書を読んでおくだけで（この場合ももちろん使えそうな単語やフレーズ、文章はメモしておく）、新情報が入った論文などを読む場合でも抵抗がはるかに少なくなるし、書く材料も蓄積される。私の場合は、留学中に徹底的に精神分析の論文や著書を読まされたことが、最近の文献を読むことをおっくうでなくしているし、英文の論文を書くことの抵抗をかなり減じているのは確かだ。

最後に、特に専門領域がない人やインターネットで外国人とチャットを楽しみたい人に勧めたいのは、Japan Times や Daily Yomiuri など、日本で出されている英字新聞だ。New York Times や USA Today でもよさそうだが、やはりアメリカ人と日本人では普段の話題が違う。テレビのニュースや日本語の新聞で読んだことを英字新聞で読むほうが、やはりはるかに読みやすい。ここではカンで読んだところのうち、特に時事ネタの表現をチェックしておくと、チャットなどでは役に立つ。また私の印象としてはこれらの新聞の英語表現のほうが、アメリカの新聞より平明である。

英語を使いものにするためには、一定期間留学したつもりで、かなりの時間を読み込みにかけるとよい。

生きるための時間や勉強の能率維持のための時間などを除いて英語漬けの生活を試みる。トイレや通勤の時間もこれらの読みものにあて、ポケット辞書かハンディな電子辞書を持ち歩く（ただし、最低でも七万語レベルのものが望ましい）。そのためには、前記の三つのうちなるべく興味が続き、面白く感じるものがよい。私の場合は、精神分析は専門分野であるが、趣味のようなものでもあるので続けられたと思う。

書いた文章はネイティブのチェックを

多少読み慣れた感じがしてきて、覚えたりメモしたりした英語表現のストックもたまってくれば（個人差もあるだろうが、三カ月から半年のうちにはこの時期が来るはずだ）、次は書くトレーニングだ。実は、私も留学中、ディスカッションが主であまりレポートを書かされなかったため、書く能力は、それほど身についたわけではない。読むほうは相当自信がついたが、いざ論文を書いてみると、これが意外に難しかった。

その後、飛躍的に書く能力が向上したのは、アメリカ人の精神分析のスーパーバイザー（指導分析家）とのディスカッションのために治療の記録を毎月英文にしたことと、英語の論文をいくつか書いたことによる。英語の論文を書く際に、エディターと呼ばれる人を紹介された。下手な英語をいい英語にしてくれる人で（文法や言いまわしだけでなく、論文としての説得性などもアドバイスしてくれる）、実はアメリカ人の学者たちも、論文を投稿する際には、この手の人を使うらしい。ここで、知ったのは、とにかく下手でもいいから英文をたくさん書いて、ネイティブの人に英文を添削してもらうことの意義だ。

結論的にいうと、書くためのトレーニングは、以下のようなものになる。まずインターネットのチャットのレベルでは、普段の読み込みで身につけた表現を用いて、いいたいことを英文にする習慣を作る。これは、認知心理学でいうところの知識（英語のフレーズ・表現法）を用いて推論（いいたいことを文章にする）を行うトレーニングになる。次のレベルは、定型的な英文をたくさん書くことだ。この定型的な英文のトレーニングについては、日本語の文書を書くトレーニングに準じて行ってほしい。そして、可能な限りネイティブの人に文を直してもらうことだ。直されることで、アメリカ人に受け入れられやすい表現がはるかに身につくし、記憶にも残りやすくなる。ただし、直してもらう人の知的レベルは知っておいたほうがいい。アメリカ人であっても書く能力についてはお粗末な人は少なくない。

後はインターネットや留学会館への張り紙も含めて、あらゆる伝手《つて》を使って（もちろん有料になるだろうが）この添削をしてくれる人を探すだけだ。書く英語の場合、文書のやりとりは電子メールで行えるので、時間や手間はさほどかからない。電子メールのチャットの相手を探すのも、書く英語（特に日常会話レベル）のいいトレーニングになる。

とにかく英語の上達法は、「聞けない、しゃべれない」コンプレックスから抜け出して、まず「読める、書ける」を徹底させることだ。筆談を要求してもアメリカ人は怒らない。むしろ、ネイティブでも書けない人がたくさんいるこの国では、書けることをみせるだけで、こちらの知的レベルをはるかに高くみてくれるぐらいなのだ。

7 感情と不安のコントロール術

悲観的な認知を修正する

最後に、大人でも子どもでも時に勉強のもっとも妨げとなる感情のマネージメント術について簡単にまとめてみたい。ここでは勉強中の抑うつ（通常スランプという形で現われる）と不安のコントロールに絞ってお話しししたい。

最近のアメリカ精神医学でのもっともベーシックな不安や抑うつの治療法は、先ほども紹介した認知療法である。認知療法のメリットは不安や抑うつの治療だけでなく、予防効果もあるということだ。認知療法の基本テクニックは、認知パターンを修正し、感情状態や対人関係、不安などをコントロールすることにある。もともとは、うつになった際に生じ、うつをさらに悪化させる悲観的認知を矯正するテクニックである。プラス思考もその一例であるが、基本的には第1章で紹介したように推論のバリエーションを増やしてあげるというやり方がポピュラーだ。つまり物事を悪いほうに考えるだけでなく、別の可能性も考えられるようにしようというものだ。さらに最近では、自動思考の矯正に重点がおかれている。これについては、前の章で紹介したＤＴＲ（一一四ページ参照）を用いることが多い。

いずれにせよ、自分の感情と認知パターンの対応関係を知り、その場その場で先々についてのいろいろな可能性が考えられるようになれば、抑うつになりにくいし、不安に振り回されることもないという考え方である。

スランプの時には「守り」の勉強を

もう一つ、認知療法と行動療法をセットにした認知行動療法というアプローチもある。たとえば、腰痛をかかえるうつ病の患者が、自分はもう一歩も歩けないと言い張る場合、手をとって歩いてやることで、自分の悲観的認知が誤りであったことを身にしみて体験させるのだ。これと似た考え方は勉強や試験の際に有用である。たとえば、試験を受けて第一問がぜんぜん解けなくてパニックになり、「もうだめだ」と悲観的認知がよぎったとする。そのような場合には、まず冷静にいちばんやさしい問題を探して、それを解いてみる。それが解けることでかなり冷静さを取り戻し、悲観的認知も改善され、さらにパニック的不安から解放される。

私が、「スランプの時には『守り』の勉強を」と主張するのも、この認知行動療法の理論を取り入れたものだ。スランプというのはうつ状態の一種である。こういう際には、「注意」の能力が低下するから、新規の情報を入力するには適さない。そのような時期にこれまでに習っていない新たな課題に取り組もうとすると、通常より能率や理解が落ちてしまう。すると、そのできないという自覚が、余計にうつを悪くするという悪循環に陥ってしまう。

だから、こういう時期には、これまで習ったこととの復習をするのだ。復習だから、新しく学ぶところより、理解も進むし、わからないところも少ないだろう。この「できる」という感覚によって、抑うつ気分がかなり改善される。つまりスランプから脱却しやすくなる。一方、うつの時期には自分の欠点がよく目につくので、自分がよく覚えていない、理解できていないところをみつける可能性が高くなる。そこを重点的に学び直すことで、記憶の穴を埋め、弱点が補強できる。

ここでのポイントは、忘れているところ、できないところがみつかった際に「俺はだめだ」と落ち込むのでなく、「スランプのおかげで、自分の気づかなかった穴がみつかってラッキー」とプラス思考で考えることだ。このような行動療法的アプローチで自然にスランプから脱却できることは多い。

不安な自分を受け入れる

次に紹介したいのは、森田療法のアプローチである。

森田療法の考え方では、不安を取り除こうとするのでなく、不安な自分を受け入れることを治療の主眼にする。不安なことを気にしだすと、それにとらわれてしまって、余計に不安が増悪する悪循環に陥ってしまう。それなら、不安というのは人間に当たり前の現象なのだ、と受け入れてしまえばよいというわけだ。パニック発作では、胸がどきどきして死ぬかと思うような状態になるのだが、実際にはパニック発作で死んだ人はいない。試験の時もあがってしまうともう駄目だと思うかもしれないが、できる問題をみつけることさえできれば、あがること自体によって成績はそれほど落ちない。したがって、あがっている場合、あがっちゃいけないと思うのでなく、みんなも似たようなものだといい聞かせて、あがっているなりに事にあたるのがよいのである。

もう一つの森田療法的テクニックとして、これも一種の行動療法であるが、目の前の課題に集中しろというものもある。不安なことがあっても、不安なことに心を向けずに、「今ここで」直面している課題に気を注げば、不安が不安を呼ぶ悪循環に陥らないし、いつのまにか不安の種が解消してしまうというわけだ。たとえば、神経性胃炎で胃が痛いことや、このテストに落ちたらどうしようということ、また、今やっているプレゼンテーションを上司はよく思っていないのではないかということが気になったとしても、直面している勉強やテスト、プレゼンテーションそれ自体に気を向けて一生懸命になることができれば、気になっていることが、気にならなくなる。

最近のアメリカ精神医学で、不安神経症やパニック発作に対する治療として急激に注目を集めている、不安マネージメントや脱感作、あるいはストレス免疫訓練と呼ばれる治療法がある。これは不安を取り除くことよりも、リラクゼーションなどを利用しながら、不安があっても対処できる、不安を強く感じないでリラックスできるようになることに主眼をおいたトレーニングである。不安だからといって焦ったり、そのことばかり考えたりするのでなく、不安な自分でもいいんだ、大丈夫なんだと思える自分になるほうが現実的だというのは洋の東西を問わないようだ。

以上、大人の勉強のための具体的テクニックをあれこれ紹介してきたが、すべてを鵜呑みにするのでなく（それこそ単眼思考である）、使えそうなものを上手に取り入れてもらえたら幸いである。また紙数の関係で十分書ききれなかった部分もあるが、小論文の書き方、面接対策、英語術などは、他の著者のものも参考にできるものはたくさんある。勉強法の探求には貪欲であるに越したことはない。一つ一つの分野について、自分に合いそうなものを上手に探してほしい。そして何度もくどいようだが、まずは試してみないと道は開けないことだけは忘れないでほしい。

第**4**章

ライセンス取得のテクニック

ライセンス取得を国が支援。教育訓練給付制度の対象であることをうたった各講座のパンフレット。

さてあれこれと勉強法を語ってきたが、何らかの形で勉強の結果が残らないと勉強を続ける気になれないという人も少なくないだろう。現時点では、もっとも具体的な勉強の成果は、ライセンスの取得であろう。本章では、いかにしてこれからの人生に役立つライセンスを取得するかについて、多少の私の考えや諸注意を述べた後に、ライセンス取得テクニックも紹介してみたい。

ところで、これは驚くべきことであるが、現在、国家試験による資格とこれに準じる公的資格を合わせて、約一五〇〇種類以上もの資格がある。これら全部について合格テクニックを作るのは紙面と手間を考えると不可能といってよい。そこで、本章では、資格の選び方と資格試験に共通する一般的対策や資格試験の落とし穴など、ライセンス取得の原則論を主に紹介していきたい。

1　ライセンスの時代は到来したのか？

ライセンスは雇用や収入を保証しない

まずライセンスの取得問題を考えるにあたって、本当に現代はライセンスの時代なのかという素朴な疑問について考えてみたい。

能力主義社会、実力社会の到来が話題にされ、これまでのような終身雇用が望み薄になるにつれ、手に職があったり人と違う特技をもっていたりしないと、雇用が保証されないという風潮が強まってきた。手に職がある、また人と違う特技をもっていることを象徴するものとしてライセンスの必要性を訴える声が高まっている。

しかし、現実には、よしんばそれが国家資格であったとしても、ライセンスをもっているだけでは、まったく雇用や収入は保証されない。一五〇〇種類もある資格のうちで、確実に収入や雇用を保証する資格は数えるほどしかないのだ。比較的簡単に取れる資格で、収入や雇用を保証するものがあれば、たちどころに受験者が殺到し、すぐに供給が需要を追い越してしまう。するとその資格をもっていても、雇用が保証されなくなってしまうのだ。特に雇用不安が強く、失業者も多い現在はそうだ。不景気の今こそライセンスの時代というが、不景気の時のほうが、実はライセンスのおいしさが減じる。景気のいい時であれば、そのライセンスをもっていれば収入や雇用が安定することがわかっていても、その試験を受ける気になる人が少ない(現状の会社での収入もよいし、クビの心配も少ないため)。つまり穴場のライセンスが多くなる。また景気のよい時であれば、よしんばライセンスをもっていても、その会社を辞めて、そのライセンスが使える仕事に転職することも少ないだろう。つまり、景気のいい時は、ライセンスをもっている人の不足が起こりやすく、ライセンスをもつことによる、雇用安定効果と収入増加作用が強くなる。逆に景気が悪い時は、すべて逆に働くので、ライセンスをもつ人の供給過剰が起こりやすいのだ。

時間・費用とメリットのコストパフォーマンス

一般的には、取りにくい資格ほど、収入も高く、雇用も安定しているとされている。弁護士や公認会計士、あるいは医師などはその例だ。確かに、現在社会人である人が一念発起して、これらの資格試験の勉強をして、その免許を手に入れたら、将来の収入や雇用はある程度保証されるだろう。しかし、そのために払う犠牲も大きい。医師になるためには、六年間(学士入学の場合は四年間のところもあるが）も大学に通わないといけないし、医学部受験のためには、最低一年はかなりハードな受験勉強をしないといけないだろう。司法試験や公認会計士の試験を目指すのであれば、必ずしも会社を辞める必要はないが、相当の時間を用意しないといけないのは確かなことだ。受験期間中、残業や仕事後の飲み会などを断りつづけないといけない。このため、合格できなかった際の代償が大きい。社内での出世競争には勝ち残れないかもしれないし、逆にリストラ候補の筆頭にあげられるかもしれない。この受験勉強にかける時間を社内での勝ち残りのためのスキル・トレーニングや英語力の取得にあてるほうが、よほど将来のために有効な投資になるかもしれないのだ。

ライセンスの時代ということばに躍らされず、そのライセンス取得に必要な時間と費用に対するライセンスのメリット（収入、雇用の保証、将来性）のバランス、つまりコストパフォーマンスを考えないと、ライセンスだけをいくつもっていても、器用貧乏の称号を得るだけで、けっして豊かになれないことは、心してほしい。

2 ライセンスの選び方

以上で述べたような事情から、ライセンスの選び方が重要なポイントになってくる。実際は、どのライセンスを狙うかを決めることが、ライセンス取得の最初にして最大のポイントなのである。

需要と供給の現状を知っておく

まず、現時点での需要と供給の関係は知っておく必要がある。一見、ハイクラスのライセンスでありながら、使えない資格もたくさんある。その代表例が、教員資格だ。現時点では、公立学校の教員の新規採用はほとんどない。今後、さらに少子化が進めば、文部省がクラスの定員を減らすなど大幅に文教政策を変えない限りは、新規の需要は、見込み薄だ。第一、結婚や病気、そして塾を開業するなどの理由で、いったん辞めてしまえば、再雇用されることは、まず無理である。新卒の採用も限られていて、中途採用の足しにもならないのなら、ライセンスといえるだろうか？　しかも、教育産業は、早くから自由競争が導入された分野で、塾や予備校講師の採用に関しては、教員資格をもっていてもほとんど優遇されないのだ。

もちろん、現時点で社会人の人で新たに教員になろうという人はほとんどいないだろうから、この手のことをしつこく強調する必要はない。しかし、ここで例に出したのは、資格の立派さに比して、需要の少ない資格が少なくないことをいいたかったためである。

将来性を見定める

次に問題になるのは、その資格の将来性だ。簡単に取れる資格であれば、その資格が使えなくなったら別の資格を取ればいいという発想も可能だが、準備に一年以上かかる資格の場合は、そうそう何回も乗り換えられない。

私のもとには、収入増や雇用の安定、そして人に使われるのが向いていないなどという理由をもって、医学部の再受験の相談をもちかける社会人は少なくない。しかし、私のにらむところ、医師という職業の将来性は薔薇色とは言い難い。

厚生省の推計では、平成三十七年の国民医療費は一〇四兆円とされている。もし、この通りになれば、医師の給与水準は現行以上のものになるし、医師の雇用は十分に確保されるだろう。しかし、こんなお金が用意できるはずがないので、まず確実に大幅な医療費の抑制政策がとられるだろう。今でも相次いでいる病医院の倒産が、さらに激しくなっていく。公務員の定員は限られているので、国公立の病院や大学病院で正規採用の職を得るのはどんどん困難になっている。その一方で、年間八〇〇〇人近くの医師が誕生しているのだ。開業規制は撤廃されるだろうが、競争は激化し、人気のない開業医は生活もままならないだろう。さらに、保険診療ができる医師の定年制も検討されている。すると、たとえば、六十五歳以上になると、自費を払える患者（たとえば、保険なら三〇〇〇円で済む風邪の診察に自費で一万五〇〇〇円払う患者）の診療しかできなくなる。ほとんどの医師は、その手の患者を集められないだろうから、事実上その年齢が定年となる。つまり、医師免許は一生使えるライセンスではなくなるのだ。

この手の話題は、ほとんどは新聞ですでに報じられている内容である。一見、社会情勢と関係なさそうな安定した職業であっても、自分が将来なりたいと思う仕事についての情報はせめて新聞やインターネットを通じて収集しておくべきなのだ。

景気に左右されやすいライセンスもある。たとえば、建築や不動産関係の諸資格（一級建築士、不動産鑑定士、宅地建物取引主任者など）は、景気が冷え込み、建設や不動産の売買が手控えられるとすぐに需要が急減する。

また、規制緩和の影響でその資格をもっていない人でも、その業種に参加してもよくなる職種も出てくるだろうし、能力主義社会では、資格より能力のほうが給与や雇用につながるケースもあるだろう。教育産業では、教員資格の有無がほとんど問題にならないように、秘書検定やワープロ検定などは、資格より能力のほうがモノをいうはずだ。

将来性を考えると、人口の高齢化のように確実に進展する事態に対応するライセンスは、当分の間、かなりの需要が期待できる。介護支援専門員（ケアマネージャー）や介護福祉士などは、その好例だ。何年間か学校に通わないといけないのが難点だが、看護婦・看護士も、実は将来性が高い。というのは、医者と比べて不足気味である上、訪問看護が盛んになり、看護婦が訪問看護ステーションを開業できるようになったからだ。ただし、医療や福祉職は、現状では国や自治体が価格統制をしている上、制度がいつ変わるかわからないため、遠い将来まで収入や雇用が安定しているとは限らないということは頭に入れておきたい。

受験資格と合格率のチェック

ライセンス取得のコストパフォーマンスを考える上で、もう一つの重要なポイントは、受験資格の制限の有無である。医師免許や看護婦資格のように所定の学校の卒業を義務付けている資格もあるし、一級建築士のように実務経験がないと受けられない資格もある。この手のものは現在勤めている会社を辞めないと手に入らない資格だ。司法試験は超難関の試験であるが、受験資格はない。ただ、勉強すればいいだけの話だ。しかし、この手の難易度の高い試験は、予備校などに通えないとかなり不利だ。つまり大学に通い直すほどでなくても、お金がかかり、時間の拘束が大きい。もう一つは、学校に通い直しを要する資格は、一般に卒業さえできれば、かなりの確率でその資格を得られるが、受験資格がなくて難易度の高い資格は合格の保証が小さく、リスキーなものでもある。要するに、お金、時間、自由の制約やポストを失うことなどのコストと、合格の確率、そして取得した資格によって得られるメリットを比べることがライセンス選びの最大のポイントである。多くの資格・検定試験の受験案内やガイドブックにはこの手の情報が収載されている。ここで受験資格や合格率などをチェックした上で、どの資格を狙うかを見極めることが、実はライセンス取得の第一歩なのだ。

できたばかりの資格は狙い目

試験が比較的やさしい割に、現時点では需要が確保されていて、しかも意外にガイドブックなどにも出ていない資格は、実は、できたばかり、あるいはできる予定の資格である。というのは、社会的な必要があるから、国家資格を新設するのであって、その資格を作った時点では需要があるのがはっきりしているのに、まだその資格をもっている人が一人もいないためだ。また、最初のうちは、まず必要な人数を確保しないといけないから、どうしても合格基準を甘くする傾向がある。たとえば、宅地建物取引主任者などは、第一回試験の時は、合格率が九八%だったという（現在は一四%）。新しい国家資格ができれば、必ず新聞に出るはずだから、それを確実にチェックして、すぐに受験資格などを確認するのが、賢明な資格取得術といえよう。

もう一つ注意しておきたいのは、国家資格のようにみえて実は民間の資格がいくつもあることだ。この手の資格については、ガイドブック等を十分に読んで、うかつな勧誘に乗らないことだ。グレーゾーンなのは、公的資格とされているものだ。通常、種々の社団法人や財団法人が資格を与える主体となっているが、臨床心理士のように、児童相談所や小中学校のような公的機関が優先的に採用してくれるものもあれば、ぜんぜん就職の保証にならないものもある。せっかく資格試験の勉強をする以上は、事前にガイドブックを調べたり、主宰団体への直接の質問を通じて、どのような明確な特典があるのかを確認しておきたい。というのは、ライセンスの時代であるという強迫観念を利用した資格商法ともいうべき勧誘があるからだ。大体電話やダイレクトメールなどで向こうのほうから勧誘してくる資格にはろくなものはないと思ってまちがいはない。

3 資格試験の勉強法

過去問の入手は大原則

取りたいライセンスが決まったら、次は勉強をしなくてはいけない。

この場合、おおむね二系統の勉強をすることになる。一つは、その資格を取るために専門学校や大学、大学院に入らないといけないケースで、その代わり、その学校を卒業すればかなりの確率でその資格が得られるものである。医師や看護婦、作業療法士などがそれにあたる。これについては、まず当該の学校に入ることが、当面の目標になるので、社会人入学のための勉強術として、まとめて後述したい。

もう一つのケースは、特別の学校に行かなくても、講習を受けたり、資格試験に合格すれば得られるライセンスである。その代表例が、宅地建物取引主任者であるが、司法試験や公認会計士、税理士もこちらに分類できるだろう。

ここでは、後者の勉強法の原則について触れてみたい。

まず、最初の原則は、可能な限り過去問を入手することである。これは、大学入試も含めて、受験勉強一般についていえることだが、過去問を通じて、出題傾向と出題範囲をつかまないことには、何を勉強してよいかがわからないだろう。たとえば、自動車の免許を取得した人ならわかるだろうが、ぶあつい法令集を勉強するより、対策用の問題集を一冊やるほうが、合格には役立つものである。

もちろん、試験によって難易度は異なるが、基本的な方法論は同じである。気象予報士になるために気象学の教科書を読破する必要はないし、司法試験であっても、オーソドックスな刑法や民法の教科書はせいぜい辞書代わりにしか使わないものだ。

基本的には、過去問をやってみたり、一通り目を通してみて、そこからやるべき勉強を見出したり、設問パターンに合わせた覚え方や解答作成術を身につけていくのである。場合によっては、過去問を何年分も解いて、その解答を覚えていくだけで、合格点（六割くらいのことが多い）がとれてしまうものもある。

プール問題制といって、その資格に必要な問題をたくさん作っておいて、その中から一〇〇題なら一〇〇題選んで出題する試験もあるだろう。また、良問であれば、過去に出題した問題でも出すというのは、ほとんどの資格試験で行われているはずである。余計なことを勉強するより、過去問に専念した勉強のほうが効率がよいのは、資格試験全般にいえることである。

これは、入学試験などと異なり、資格試験というのが、その人の独創性を問うのでなく、その人がその資格に必要な知識や技能を有しているかを問うテストだからである（実際は大学入試でも、過去問による出題傾向の分析のほうが効率的な受験術である）。たとえば、司法試験に合格した裁判官に奇抜な判決を出されたのではかえって困るのである。建築士の資格にしても、オリジナリティのある設計に対して与えられるのでなく、設計の最低限のルールが守れて、安全性の確保された家を作れる人に対して、与えられるものなのである。そこが空間デザイナーといわれる人と建築士の違いなのだ。

だから、資格試験で、どのような知識や技能が要求されているのかは、二、三年分の過去問をみれば大体把握できるものである。過去問を解いてみて、そこそこ解けたり、その解答集や解説書を読めば、そこそこ理解できるのであれば、その資格試験は、相当有望であると思ってよい。過去問の有効利用こそが、大人の受験術の第一の基本テクニックである。

合格した先輩の話を聞く

次のステップは、実は、可能な限り、合格した先輩を探すことである。特に短い期間の勉強で合格した要領のよい先輩を探すことだ。短期間で合格する人は、センスがあって頭のいい人なのでまねできることはあまりないと思われがちだが、そういう人こそ、受験のノウハウをつかんでいる人なのである。特に何が必要で、何が無駄かがわかっている。この何が無駄かを教えてもらうのは重要なポイントである。

短期合格者でなくても、合格した人に会えれば、どの解説書や問題集が実用的で、わかりやすいか、試験範囲を網羅しているか、予備校に行く必要があるか、あるならどこの予備校がわかりやすいか、どのくらいの勉強が必要か、何が落とし穴か、何が無駄だったかといったノウハウをつかむことができ、かなり有用な情報が得られるものなのだ。「親友が受かったから私も」というのは、甘い考えのようで、実は有利なポジションなのである。

もちろん受かった人の情報を鵜呑みにする必要はないが、合格者から可能な限り、情報を引き出し、そこから自分に合ったものを使うというのは、大人の受験術の第二の基本テクニックである。そういう合格した先輩がみつかったら、とにかく実際に会ってみて、根掘り葉掘り具体的に質問することである。その人が、資格を取って数年たっている場合は、その資格が本当に使えて、収入や雇用に役立つのかも、単刀直入に聞いたほうがよい。相手が愚痴をこぼすようであれば、そのライセンスでよいかどうか、多少は再検討してみるべきだろう。

ただ実際は、直接に合格者の知り合いをみつけることは難しいだろう。その場合は、対策塾や予備校を利用するか、合格体験記に一通り目を通しておくといい。ただ、対策塾の講師（通常はその試験の合格者）はあまり本音をいわない可能性があるし、合格体験記は、かなり編集されているし、質問もできない。直接情報よりは、情報の質が落ちることは覚悟しておくことだ。

参考書・問題集の選び方

次は、参考書、問題集、解説書選びだ。

合格者と会うことができた人は、一応はそのアドバイスにしたがってみるといい。ただ、選んだ本がちんぷんかんぷんだったり、一冊を終えるのに時間がかかりすぎそうな時は、もちろん、書店で別の本を探したほうがよいだろう。やはり参考書や問題集にも個人との相性があるのだということは忘れてはならない。

合格者に会えなかったり、その勧める本が納得いかなかった場合の参考書選びのポイントは、おおむね次の三つになる。

一つ目の重要ポイントは、自分で読んでわかることだ。理解ができないと入力が困難であることは、前述の通りだが、大学受験などの時と比べて、わからないことを聞ける相手がいないのが資格試験勉強の特徴ともいえる。その上、その資格の専門書（司法試験なら刑法や民法など、税理士試験なら会計学など）は通常きわめて難解で、理解の助けにならない。予備校や対策塾に行かずに独学で勉強する場合は、わかる参考書を探すのが生命線ともいえるものだ。

二つ目は、過去問と対比してみて、出題範囲を網羅しているか、多すぎないか、わからない問題に答えてくれるかなど、過去問勉強のサポートになり、過去問勉強に対応するものを選ぶことである。過去問学習が第一の基本テクニックなのだから、参考書や問題集選びは、それに合ったものがもっとも効率的だ。

三つ目は、なるべく、その試験の世界で定評のあるものを選ぶということだ。この手の本は、たいてい、その世界で高い合格実績を誇る対策塾や予備校の人気講師や主宰者が書いている。往々にして、そういう塾の宣伝的な要素もあり、「ちゃんと勉強したかったらうちに来なさい」的なニュアンスも強く、また多少不親切なところはある。逆に内容のよさで生徒をひきつける必要があるだけでなく、実際に塾を運営している手前、嘘や塾の講義の内容と矛盾したことは書けないから、エッセンス部分はおいしい情報も多いし、わかりやすい内容になっている。少なくとも、その分野に対して自分が選ぶ能力に自信がなければ、ベストセラーを選ぶのは、確実で無難な選択である。また、実際に指導している人が書いているので、単なる事項の解説書であるだけでなく、勉強する内容のガイダンスになっていることも多く、その点でも、実用的だ。

受験仲間を探す

過去問で勉強すべき点を押さえ、合格した先輩から受験情報を入手し、参考書や問題集を選び終われば、後は勉強するだけである。記憶術やスケジュール管理など、原則的な勉強法は、本書の第2章・第3章を参照してほしいが、久しぶりの受験勉強をやるのに際して、一つだけ、提案をしておきたいことがある。それは、受験仲間を探すことだ。何か受けたい資格試験ができれば、昔の同級生でも同僚でもガールフレンドでもよいが、この資格はいかにメリットがあるかを説得して、その人にもライセンスがほしい気にさせることだ。

一人より、二人以上のほうが、動機も持続しやすいし、情報の入る窓口も広がる。また不安な時にサポートし合える。思春期の受験生の頃よりは精神的には強くなっているかもしれないが、受験というのは仲間がいるほうが確実に有利にことが運ぶものなのだ。もともと、その資格試験の勉強サークルや勉強会があるのなら、それを利用するのも賢明だろう。私自身も、医師国家試験や神経内科の認定医試験の時は、この勉強サークルが、大学に行かない劣等生だった私を救い、最短時間で合格させてくれたと、今でも感謝している。

塾・予備校に通うのはいちばんの近道

最後に、資格試験の予備校や対策塾の利用法である。あれこれと、資格試験の対策法を書いてきたが、正直なところをいうと、早く、確実にライセンスを取りたいのなら、この手の塾に行くのが、王道だと私は考えている。実際、今後、私自身が何かのきまぐれで資格がほしくなったら、まずそのための塾に通うことだろう。アメリカの留学体験を含めて、教えてもらうことのありがたみを身にしみて体験しているからだ。「餅は、餅屋」とはよくいったもので、新しい分野の学習は、それがよくわかっている人間に聞くのがいちばんの近道なのだ。

この手の塾や予備校では、過去問から自らやるべきことを分析しなくても、過去問の分析に基づいてカリキュラムが組まれている。また、講師がたいていは、その試験の合格者であるので、合格者の声や体験をじかに聞くことができるだろう。また、人間の話しことばでの説明なので、参考書よりもわかりやすいだろうし、第一、わからないことがあれば、その場で聞くことができる。テクニック論として、合格しやすい答案や面接についてのアドバイスもしてくれるはずだ。そして最後に、勉強仲間を得ることも容易だ。彼らは、意欲も高いし、合格の確率も高い。そういう友達をもつことは、情報収集にも、精神的な支え合いにも、かなり有用なはずだ。

だから、時間とお金が許し、そういうものが存在するのであれば（塾や予備校のない資格試験や地域はいくらでもある）、資格試験の対策塾、対策予備校に行くに越したことがない。問題は、その選び方であるが、これは、ずばり数字を信じることだ。数字といっても、合格者数のことではない。古いタイプの資格試験では、いまだに旧態依然とした記憶主義の勉強をさせる塾や予備校も少なくない。しかし、合格者の数だけとってみると、この手の大手や名門塾、予備校が大量合格者を出しているものである。というのも、そもそもそこからの受験者数が多い上に、資格試験というのは、要領が悪くてもオーソドックスな勉強を何年もやっていれば、たいてい合格できるからだ。

大切なのは、合格率（合格者数÷在籍者数）と合格に要する平均期間である。この二つがよいところは、かなりカリキュラムがいいといえる。というのは、資格試験の予備校は、たいていは、無試験で入学できるので、学生の素質の差では成果の差の説明がつかないからだ。逆にいうと、よい予備校を探すことが才能ともいえる。あとは、その実績を信じて、カリキュラムにしたがって勉強すること、わからないところは、確実に質問すること、そしてこれまでに紹介したようなやり方で、知識の吸収と推論に努めることだ。特に予備校の場合、習い放しになりがちなので、復習は忘れないようにしてほしい。

資格試験の対策として、通信講座は、全国どこにいても、自分の好きな時間に勉強できるし、また通う手間もいらないので、大人の勉強法としては人気がある。これについては、実績のあるところを選べば、カリキュラムも独学で勉強するより優れているだろうし、特に小論文や論述試験や作図のようなものを課される試験では、実際に添削してもらえることが何よりの習熟法になる。

しかし、こういうことは予備校や塾でもやっていることだ。通信教育では、合格者の声も聞けないいし、勉強友達もできない。そのためか、中途の脱落者がけっこう多いようだ。その上、わからないことがリアルタイムで質問できない。その手のハンディキャップを認めた上で、時間的な拘束などのために、塾や予備校に行けない人が、次善の策として利用するのであれば、通信教育も十分有用である。

自分で過去問分析がうまくできないと思ったら、あるいは、解説書を読んでもよくわからないと思ったら、その資格試験を諦めて、別のものを狙うか、あるいは、塾や予備校、通信教育に頼るかは、早く決断したほうがよい。それこそが、資格試験合格に必要最小限のメタ認知なのである。

4　大人のための再受験術

資格直結型の社会人入試は難関

さて、大学や専門学校に入らなくても得られる資格試験の対策を説明したところで、次はある種の学校に入らないと得られない資格試験の勉強はどうだろうか？　ここでは、そういう学校を卒業する頃にする資格試験勉強ではなく、そういう学校に入るための「再受験勉強」についてのみ論じることにしよう。

もちろん、資格を得るためだけでなく、もう一度勉強をしたくなった（たとえば、歴史や法律や福祉や心理学を勉強したくなった）人が、大学や大学院に入るための勉強法も原則的には、まったく同じなので、これも一括りにして論じてみたい。

残念ながら、一から大学を受け直す、つまり通常の高校三年生や浪人生と同じ条件で大学を受け直すという場合は、ここではその対策は書ききれない。自己宣伝のようで申し訳ないが、参考書の選び方については、『受かる参考書はこれだ！』（ロングセラーズ）、過去問の分析法については、『新・赤本の使い方』（ロングセラーズ）を、一からやり直したい場合の勉強法は、『受験基礎力をつける本』（ロングセラーズ）を、受験勉強一般については、『新・受験勉強入門』〈合格テクニック編・徹底攻略編〉（ブックマン社）を、というふうに、拙著を参考にしていただければ幸いである。これらの本は、社会人でも十分使えるように作ってあるし、勉強法を学ぶことが成功への近道であることは、本書をお読みいただいて、わかっていただけたと思う。そして、勉強の要領さえつかめば、一見面倒にみえるこのやり方も、意外に、これらの大学に入る近道であるかもしれないのだ。

大学や専門学校に入って、医師や看護婦、放射線技師や薬剤師などの資格を取ろうとする場合、少しずつではあるが、社会人入試の制度が導入されている。これらの試験は、小論文、面接、書類審査で、あとは語学（英語）試験が課されるところとそうでないところがある。だから、確かに試験勉強にそれほど時間をとられることはなく、忙しい社会人にとっては有利なシステムだ。しかしながら、だからといってこれらの学校が入りやすいとはいいきれない。

というのは、現時点では、この手の資格に直結している大学や学部の社会人入学に関しては、その定員枠も、それを実行している大学もきわめて少ない。もちろん、人気もきわめて高く、医学部の社会人入試などは、軒並み何十倍という競争率だとされている。

学校に入って資格を取りたいという場合、第一に考えないといけないことは、通常入試と、社会人入試のどちらを選ぶほうが入りやすいかなのだ。本書を読んで、勉強のやり方を変えれば、数学や英語の学力も上がるだろうし、しかも後で説明するように大学生や受験生の学力低下も顕著だ。それなら定員枠に余裕のある一般入試にチャレンジしてみようというのも、特にもとの学力が高かった（比較的、偏差値の高いよその学部を卒業した）人には賢明な選択かもしれないのだ。逆に、海外赴任の経験のおかげで語学には自信があるとか（この場合は一般入試にも有利になるが）、ビジネス文書を多く作成した経験があったり、営業やプレゼンテーションの経験があるので小論文や面接には自信があるというケースは社会人入試を選ぶという選択になるだろう。

ただし、医学部だけを例にとると、社会人入試（学士編入学制度）を実施している大学は、栃木県の独協医科大学、群馬県の群馬大学、大分県の大分医科大学（看護学科）などきわめて少なく、それも大都市近郊でない遠隔地にあるという問題もある。多少社会人に門戸の広い看護系の大学も同様である。そのような場合、入学できても、住居を移さなければいけないだけでなく、アルバイトの口も少なく、しかもこれまでの社会人経験を活かしたアルバイトの口はさらに少ないことを意味しており、そのあたりのデメリットも考えておいたほうがいいかもしれない。また、社会人入試は、過去問を販売しても商売にならないほど受験者数が少ないので、仮に公表されていても過去問の入手が困難である。たとえば、語学試験で文法問題も出題されているのか、読解と英作文だけなのかなどの見当がつかないと、かなり語学に自信がある人でないと相当な勉強が必要となる。小論文についても、過去に出題されたテーマがわからないと対策は立てにくいだろう。

それでも社会人入試を選択するという場合の対策の基本は、語学試験、小論文、面接のトレーニングということになる。小論文と面接については、前の章に書いたテクニックを参考にしてほしい。語学試験も通常は、読解と英作文の出題が主なはずなので、やはり前章の勉強法が参考になるはずだろう。あとは、可能な限り受験体験者か合格者を探して、出題傾向を確認することだ。

勉強のための社会人入試は売り手市場

資格を目指すのでなく、教養を身につけたり、自分が学びたい勉強（たとえば、心理学や福祉や教育学など）があるので、大学や大学院に入りたいというのであれば、門戸は確実に広くなっている。少子化とバブル時代に大増員した定員のために、多くの大学は将来、定員割れの危険を抱えている。社会人に魅力のある大学や大学院を作ることは、これらの大学にとっての生き残りの条件なのだ。だから、入試もたいていは面接と小論文という、準備の負担の少ないものになっているし、仕事を辞めないでよいように、夜間学部が用意されていたり、社会人向けの学部は都心においたり、また興味を引けるように人気教授を集めたりしている。

つまり現時点では、大学の社会人入試は売り手市場なのだ。だからこそ、今は受験勉強よりも、大学の選択のほうが大切な準備となる。教育スタッフのよしあしや、卒業後の進路などをみながら、自分がここなら通ってみたいと納得のいく大学を選べばよいのだ。社会人入試を行っている自分が興味をもてる大学の入学案内や学校案内を取り寄せて、可能な限りその大学も見学して、悔いのない大学選択をしたい。もっとも、仮に失敗しても、一年という時間と初年度の納入金さえ惜しくなければ、また次の大学を選べばよいのだが。

大学院は価値ある先行投資

大学院の場合は、もともとが書類審査と面接と小論文と語学という試験スタイルのところが多いためか、特別に社会人枠を設けているところは、まだそれほど多くない。これについても、十分な情報を入手して、悔いのない選択をすることだ。大学院の場合は、特に教授や助教授などの教育スタッフについての情報を集めることが肝要だ。というのは、クラスの人数がきわめて少なく、かなり密な形で講義を受けたり、ディスカッションを行うことになるからだ。

もう一つは、仕事を辞める必要があるのかの判断だ。最近は、夜間の大学院も増えており、また、クラスのサイズが小さいことから、ある程度、授業時間についての交渉が可能なところも少なくない。

　大学院入試の対策は、原則的に面接と小論文、語学の対策になるが、英語も含めて、ほとんどのケースは、第3章で紹介した対策でカバーできる種類のものだ。ただ、学校によって出題傾向や小論文のテーマが違う可能性があるので、可能な限り事前の調査も心がけておきたい。

　今後、雇用の流動化が進むと、日本でも、大学を出てから大学院やビジネススクールに入り直してキャリアアップをはかるという選択肢も出てくるだろう。そうなれば、大学院卒は、今よりははるかに使えるキャリアになる。資格試験の場合も同じだが、新設まもない間は、とかく入学や修士資格（ビジネススクールの場合は日本版MBA）などが甘くなりがちである。早めに情報を入手して、少しでも魅力的な大学院に今のうちに入っておくのは、価値のある先行投資といえそうだ。

エピローグ

学びの社会の再建を

小学校の入学式に向かう親子たち。勉強することの楽しさをどう教えていくか?

学び方を工夫すれば勉強は楽しくなる

さて、本書をお読みになってどのような感想をもたれただろうか？

自分も勉強をやってみようかとか、これからは勉強ができそうだという積極的な感想をもたれたのであれば、著者としては、歓喜にたえないが、そうでなくても、勉強に対する恐怖感がとれたのであれば、十分、当初の目的を達したことになる。

もちろん生まれつき病的な、あるいは欠陥のある脳をもってしまった不幸な人はいるし、そういう人のための福祉は、十分手厚く行うべきだろうが、それでも近年の養護教育の進歩のおかげでそういう障害をもった人でもかなりの能力を発揮することが少なくない。ましてや、人口の九五％以上にあたる、先天的異常のない脳をもって生まれてきた人については、勉強の成績が悪いのは、ほとんどの場合、それは勉強をやってこなかったためか、やり方が悪かったためである。また勉強が嫌いであったり、面白くなかったりするのは、ほとんどの場合、学んだことを理解ができなかったか、面白くないと吹き込まれたためである。

本書で紹介してきたように、人間の脳というのは、知識がなければ推論ができないので、いったん勉強ができなくなったり、勉強がわからなくなったり、面白くなくなったりすると、それがさらに知識の入力を妨げ、動機をそぎ、また思考を貧弱なものにする悪循環に陥ってしまう。

たとえば、何かのきっかけで小学生の時に勉強がわからなくなった場合、それで勉強ができないと思い込んで、勉強が嫌いになってしまう。ここで、もう一度わからせてあげれば、もとのレールに乗れるのだが、そうでないと、それ以降の勉強もわからなくなり、新しい知識も入力されないから、余計に成績も下がり、ますます勉強が嫌いになる。そういう形で、何年も、場合によっては何十年も勉強ができなかった人は、確かに学校の勉強や入学試験では、大きなハンディを背負うだろう。何かのきっかけで、やはり勉強をしてみようと思っても、あまりのわからなさのために、結局諦めてしまうかもしれない。

しかし、ある種の解説書などと出会うことで「理解する」ということを体験できれば、その分野に対する知識の入力は何歳になっても可能だし、その勉強に興味をもちつづけ、ある程度の成功者になることすらままあることだ。大学に入るまでは、勉強ができずに、いわゆる二流大学にしか入れなかったが、ある法律の解説書を読んだらわかりやすかったので、司法試験の勉強を始めて、二年ほどで受かって弁護士になったというような話は、合格体験記などを読むと時々出てくることだが、これはシンデレラストーリーでも何でもない。人間というのは理解できること、興味のあることであれば劣等生といわれていた人でも入力できるということの一例にすぎない。学校時代に最劣等生で通した俳優やコメディアンが、びっくりするほど長いせりふが覚えられるのもこのためだろう。

法律やせりふのように高校までに積み上げてきたベーシックな知識が必要のないものであれば、後から挽回できるかもしれないが、数学はそうはいかないと思う人もいるだろう。これだって、勉強法を知ることで、劇的な成功を収めることもある。私の知っているある受験生は、小さい頃から将棋しかやっていなくて、奨励会に入るほどの腕前であったが、プロになるのを諦めた時の学力は、惨憺たるものだった。それまで学校の勉強などほとんどしてこなかったのだから当然である。かろうじて、無試験同様の新設間もない高校に入るのだが、私の著書を読んで、暗記数学に定石を覚えて推論する将棋のやり方と通じるものを感じ、そのやり方を実践した。すると、数学については、これまでの知識のストックはゼロに近い状態であったのに、その学校から初めて早稲田の理工学部に、翌年は東大の理科I類に合格したのである。

つまり、これまでのストックがなかった人、勉強ができないと思い込んでいる人であっても、教え方を工夫してわかる体験をさせてあげたり、学び方を工夫してストックが足りないというハンディを克服させてあげれば、十分、勉強ができるようになるチャンスがあるのだ。

「教育立国」「勤勉の国」はもはや幻想

実は、私は、これまで何度となく、大人のための勉強法の本を書いてくれというオファーを受けたが、そのたびに断りつづけてきた。大学受験勉強法の本を合計で一五〇万部も売っており、読んだ人の多くが受験での成功体験をしているから潜在読者がたくさんいるだろうという理由のオファーである。お金のことを考えると魅力的なものではあるが、私自身、受験勉強については、自分にも成功体験があり、実際の指導実績もあるのでそれなりの自信があるが、大学時代は劣等生で、資格試験については受かって当たり前のようなものにしか合格していない。私は、最近では老年医学や高齢者の生き方、心理学の経済学への応用書、あるいは精神分析の解説書などを書いているが、どれもがそれなりの自信をもっているから世に出したものであり、それに比すと、大人のための勉強法ということにはもう一つ自信がもてずにいた。

それを今改めて、世に出そうという気になったのは、いろいろな教育心理学者との出会いや、読書などによって、認知心理学や大人にも通用する勉強法についての自信が出てきたこともあるが、それ以上に、大人の勉強を通じて、勉強の国、日本を再建しなければいけないと思うようになったからだ。

教育立国、勤勉の国、受験戦争の国として知られていたわが国は、実はこの十年ほどで空前の変化を体験し、そのすべてが過去の神話となりつつある。OECDの一九九八年の報告書では、一九九三年の時点で日本の労働者の年間労働時間は、アメリカを下回るようになり、その後、さらに差が広まっている。また、国際教育到達度評価学会（IEA）によって、一九九四年から一九九五年にかけて行われた大規模な国際的調査によると、日本の中学二年の子どもたちの平均の（塾などを含んだ）校外勉強時間は一日二・三時間で（世界平均は三時間）、調査対象の三九カ国でも日本より勉強時間の少ない国はわずか八カ国であった。先にも紹介した東大の苅谷剛彦教授らによる平均的な高校生を対象にした調査では、高校二年生で、塾や予備校での勉強を含めて、学校が終わってから一秒も勉強しないという子どもが全体の三五％もいたのだ。

もちろん、成績についても惨憺たるものである。諸外国と比較できるものについていうと、英語力の指標とされるTOEFLの平均点は世界で最低レベルである（これは、誤解されていることが多いのだが会話力だけを問うテストではない。日本人がこれまで得意とされていた、文法も読解も作文もおしなべてできないから、この成績になったのだ）。また、京都大学経済研究所の西村和雄教授と慶応大学経済学部の戸瀬信之教授の調査によると、日本の一流私立大学の学生の数学力は、二〇％もが分数の計算を間違え、七〇％以上が中学三年生で学ぶ二次方程式ができなかった。これは、中国の中堅大学の学生よりはるかに低い成績である。

表5－1　中学1年生の数学の授業時間の国際比較

国　名	年間授業時間
日　本	99
イギリス	117
フランス	129
アメリカ	146
香　港	124
イスラエル	133

（国立教育研究所紀要119集〈1991年〉「数学教育の国際比較」より）

そして、日本の数学の年間授業時間は先進国といわれる国々の中でももっとも短い（表5―1）。これが、二〇〇二年よりの学習指導要領の改訂に伴って、さらに三割も削減される。

今こそ大人の勉強法が必要

要するに、日本人は勤勉だという神話も、日本人は頭がいいという神話もおしなべて崩壊しているのに、文部省はそれを解決しようとするどころか、今よりもっと勉強はしなくてよいといっているのである。もはや、国を頼りにしていては何も解決しない。

現時点で、日本人の知的レベルを保つ方法は一つしかない。それは、各々の国民が自覚をもって勉強をすることである。

もちろん、子どもの頃の知識の蓄積のなさは、ものを考えるにしても、新たに勉強するにしても、大きなハンディキャップになる。本書に書かれた勉強法にしても、実際は、これまでに勉強をしてきた人のほうが、はるかに納得のいくものだろうし、また実効も早く上がることだろう。

それに対して、勉強をしてこなかったハンディキャップのある人は、よい教え方、よい勉強法に出会わない限りは、勉強の世界に戻り、知的な活躍をできる可能性は、残念ながら、これまで勉強をしてきた人よりはるかに小さい。これまで勉強をしてきた人なら、正攻法のやり方であれ、自己流の勉強法であれ、それなりに結果が出せるし、勉強への関心も維持できるだろう。しかし、そうでない人は、これまでの勉強法がないのだから、きわめて正攻法の勉強をしても、語彙《ごい》であるとか、数式を読む能力が不足しているために、なかなか理解も困難であるし、挫折する可能性が高いだろう。そして、勉強における成功の体験も乏しいので、勉強のやり方や、選んだ本が悪かったとは思えずに（これは本そのものが悪いのでなく、読む人のレベルに合わなかっただけの話であるが）、自分の頭が悪いからだと思ってさっさと撤退してしまう。

しかし、自分に合った勉強法を身につけ、よい教え方（これはもちろん本も含む）に出会うことさえできれば、そういう人間の多くは救われるし、逆に、大人になると勉強をしない人が多い日本社会では、小さい頃から勉強をしてきた人を逆転することも簡単に可能になる（大人になってからも勉強をしつづけている人に追いつくのはなかなか難しいが）。

国民の多くが、ろくに勉強をしてこないまま社会に出される今こそ、大人のための勉強法が必要なのである。実は、各種調査では、九〇年代の初めには、すでに現在のような学力低下、特に大学生の学力低下が始まっていたという。本書を読む人が三十歳より若い場合は、特に心して勉強法を学び、勉強の世界に入り込んでほしい。

いきいき勉強する姿を子どもたちにみせよう

大人には、子どもの頃と違って、勉強についての拒絶感や親や教師からの強制もない。勉強をするもしないも個人の選択であり、自己決定である。勉強が人間性を歪めるというマスコミのキャンペーンにも流されずに済む。そして何よりも実力社会、競争社会の到来により、勉強の結果が、直接、自分に戻ってくることになった。

子どもが勉強する習慣を取り戻すために、私は有志たちと著作などを通じて戦いつづけているが、マスコミの論調や文部省の方針、そして勉強をする子どもはえてして学校などで人気がないという現在の風潮の中で、その再建は当分先になると私は考えている。それよりは、大人が自覚して勉強するようになり、子どもが勉強をしていた頃の日本の技術レベル、勤勉の伝統を取り戻すほうが、はるかに現実的ではないかと感じるのである。

大人が勉強をするようになることで、勉強がけっしてつまらないものではないという感覚が共有され、また、生まれついての能力やこれまでの学力の遅れも、やり方が改善されれば、かなり挽回できることに大人のほうが気づくようになれば、子どもを勉強させることにも、さほど抵抗がなくなるだろう。子どもの能力に早く見きりをつけることもなくなるはずだ。また、大人の姿をみて子どもは変わる。大人が勉強をいきいきと楽しんでやる姿をみせることが、一〇〇回の「勉強しろ」ということばより有効なはずだ。

大人を通じて、学びの社会を再建する可能性があるという見方は、単なる楽観的な見解とはいえないだろう。大人のサイドの一人一人の自覚と実行が、社会を変え、日本の発達を支える可能性は小さくない。また、国民が適度に知的であれば、政治もそれほどは、おかしな方向に向かわない。

ついでにいうと、若い頃つめ込み勉強をさせられてきて、その後は仕事一筋であまり勉強する時間がもてなかった人は、実は勉強をすれば伸びるかなり大きなポテンシャルをもっている。若い頃に勉強をしてきた人は、もともとの知識や計算力などのために、勉強を始めた際の理解力に優れており、また知識の入力がうまくいく可能性は高い。唯一の欠点は、これまでの勉強が非能率的で、それを努力でカバーしてきたことに気付かない場合、それしか勉強法がないと信じ込み、若い頃ほどの動機と体力と記憶力がないために能率の悪さをカバーすることができず、挫折しやすいことだ。そういう人にも、本書で提唱してきた勉強法は、かなり役立つと信じている。

勉強は高齢社会の格好の趣味

最後に、これは本書の冒頭で触れたことでもあるが、高齢社会を迎えるということも、実は、勉強の必要性を増しているとあえて強調しておきたい。技術の世界は日進月歩で変化しており、少なくとも十年おきぐらいには、勉強をし直して知識をリフレッシュする必要があるが、それ以外の分野でも、五十年も前に勉強したことは、ほとんど化石になっていることが少なくない。高齢になればなるほど、どこの大学を出ているかより、大人になってから何を勉強してきたかのほうがモノをいうのである。

勉強は、実は高齢になっても楽しめる趣味である。精神分析家たちが、高齢になっても活躍していられることは前述の通りだが、アメリカの学会でこういう高齢の学者がディスカッションをしている姿をみると実にいきいきしているし、楽しそうにもみえる。私の知っている何人かの高齢の学者も、実に勉強を楽しそうにやっているし、話している時の顔つきも充実している。

最近の知能研究は、高齢になっても十分に知的作業や勉強を続ける能力があるのを、明らかにしている。私が直接面識をもち、そして尊敬している一九一九年生まれの唐津一先生と一九二〇年生まれの土居健郎先生は、その実証例といえる。唐津先生は、その年齢でＩＴをはじめとする最近のテクノロジーについて熱弁をふるい、今でもアイディアマンぶりを発揮しておられるし、土居先生も精神分析の世界では、国際的にもトップランナーの座を保ちつづけている。

そして、頭を使っていると体や感情も若返るようだ。このお二人の先生は、考え方ばかりでなく、顔つきも、動作もきわめて若いのだ。そして、何よりご健康である。冒頭で紹介したオランダの研究でも高齢期の知能が高い人ほど、寿命が長いことも確認されている。勉強は実用のためだけでなく、趣味としてやっていれば、一生付き合えるし、若さも保たれる。これは、日本のテクノロジーなどの発達のためになるだけでなく、高齢問題や介護問題、医療費問題に意外な福音をもたらしてくれるかもしれない。

自分の能力を信じて

勉強は日本を救う、と私は信じている。そのためには、子どもが勉強するのを待っているのでなく、大人のほうから勉強を始めてほしい。それをサポートするために、私なりに、自分のもてるノウハウをできる限り披露したつもりだ。

勉強をしつづけていかなければならないのは、私も同じである。とにかく、いっしょに頑張っていこうではないか。そして、自分と自分の能力を信じてほしい。心理学の実験では、自分が頭がよいと信じている群のほうが勉強をした際に伸びるという報告もある。私自身も最近は、自分のことを頭のいい人間だと信じるようにしている。人前で謙遜するのは大事な礼儀であるが、自分をばかだと思って得をすることはない。本書で、私が自分がさもできる人間のような書き方をして、不遜に感じた方もおられるかもしれないが、そういう背景があったことをご理解いただきたい。

最後になるが、このようないいたい放題の本を作るのを支えつづけてくれた、ＰＨＰ研究所学芸出版部の小木田順子氏に心より感謝し、この場を借りてお礼を申し上げたい。

PHP新書
PHP INTERFACE
https://www.php.co.jp/

和田秀樹［わだ・ひでき］

1960年大阪生まれ。1985年東京大学医学部卒業。東京大学附属病院精神神経科助手、米国カール・メニンガー精神医学校国際フェローを経て、現在は精神科医。川崎幸病院精神科コンサルタント、東北大学医学部非常勤講師（老年内科）、一橋大学経済学部非常勤講師（現代経済学）。

主な著書に『多重人格』（講談社現代新書）、『〈自己愛〉の構造』（講談社選書メチエ）、『わがまま老後のすすめ』（ちくま新書）、『新・赤本の使い方』（ロングセラーズ）、『新・受験勉強入門』（ブックマン社）、『和田式・書きなぐりノート合格法』（学研）、『学力崩壊』『「勉強嫌い」に誰がしたのか（共著）』（以上、PHP研究所）

和田秀樹ホームページ
http://www.hidekiwada.com

大人のための勉強法

PHP新書 112

二〇〇〇年五月八日 第一版第一刷
二〇二四年二月二日 第一版第五十刷

著者――和田秀樹
発行者――永田貴之
発行所――株式会社PHP研究所
東京本部――〒135-8137 江東区豊洲5-6-52
ビジネス・教養出版部 ☎03-3520-9615（編集）
普及部 ☎03-3520-9630（販売）
京都本部――〒601-8411 京都市南区西九条北ノ内町11
制作協力――株式会社PHPエディターズ・グループ
装幀者――芦澤泰偉＋野津明子
印刷所
製本所――大日本印刷株式会社

ISBN978-4-569-61086-3

ＰＨＰ新書刊行にあたって

「繁栄を通じて平和と幸福を」（PEACE and HAPPINESS through PROSPERITY）の願いのもと、ＰＨＰ研究所が創設されて今年で五十周年を迎えます。その歩みは、日本人が先の戦争を乗り越え、並々ならぬ努力を続けて、今日の繁栄を築き上げてきた軌跡に重なります。

しかし、平和で豊かな生活を手にした現在、多くの日本人は、自分が何のために生きているのか、どのように生きていきたいのかを、見失いつつあるように思われます。そして、その間にも、日本国内や世界のみならず地球規模での大きな変化が日々生起し、解決すべき問題となって私たちのもとに押し寄せてきます。

このような時代に人生の確かな価値を見出し、生きる喜びに満ちあふれた社会を実現するために、いま何が求められているのでしょうか。それは、先達が培ってきた知恵を紡ぎ直すこと、その上で自分たち一人一人がおかれた現実と進むべき未来について丹念に考えていくこと以外にはありません。

その営みは、単なる知識に終わらない深い思索へ、そしてよく生きるための哲学への旅でもあります。弊所が創設五十周年を迎えましたのを機に、ＰＨＰ新書を創刊し、この新たな旅を読者と共に歩んでいきたいと思っています。多くの読者の共感と支援を心よりお願いいたします。

一九九六年十月

ＰＨＰ研究所